D1366360

La malbouffe

Stella de Rosnay
Joël de Rosnay

La malbouffe

Olivier Orban/Seuil

EN COUVERTURE
illustration Jean-Paul Barthe

ISBN 2-02-005974-6

© Olivier Orban, 1979
© Éditions du Seuil, 1981

à Cynthia

Introduction

Et tout pour la tripe!
Rabelais

Au moment où s'achève ce siècle dit de progrès, nous allons devoir tout simplement réapprendre à manger. La « Grande Bouffe » et sa sœur la « Malbouffe » nous tuent à petit feu.

Les experts du monde entier – médecins, biologistes, nutritionnistes, diététiciens – sont formels : il existe des relations irréfutables entre la plupart des grandes maladies du monde industriel et la surconsommation ou le déséquilibre alimentaire. Maladies cardiaques, attaques, hypertension, obésité, diabète, dégradation de la qualité de la vie du troisième âge, tel est le lourd tribut que nous devons payer pour trop aimer la viande, les graisses ou le sucre. Jour après jour, année après année, nous préparons le terrain aux maladies qui nous emporteront prématurément.

Le tiers monde meurt de sous-alimentation... et nous de trop manger. Pléthore ou carence : les maladies de la malnutrition ou de la sous-alimentation tuent probablement dans le monde d'aujourd'hui plus que les microbes et les épidémies. Et pourtant, sauf dans le tiers monde, on s'est peu intéressé jusqu'ici à la nutrition. Surtout en France. C'est bien connu : nous avons tous, ici, la faiblesse de croire que ce qui touche aux plaisirs de la table est comme notre seconde nature. On n'a rien à nous apprendre en ce domaine. D'ailleurs, quoi de plus triste qu'un « régime », une « diète », le « jeûne » ou l' « abstinence » ? Il faut bien, à la rigueur, y recourir pour traiter des maladies, mais pas pour préserver sa santé, ou plus simplement pour vivre mieux et plus longtemps.

Les biologistes vont plus loin : ce que nous mangeons

9

influencerait notre manière de penser et d'agir. Comme le disent si bien les Anglais : « *You are what you eat* », vous êtes ce que vous mangez. Et les Français d'ajouter : « On creuse sa tombe avec ses dents. » Il ne s'agit donc plus aujourd'hui de perdre quelques kilos superflus mais tout bonnement de survivre. D'inventer une diététique de survie. Nous avons la mort aux dents. Il est grand temps de réagir.

Mais comment ? Pendant des millénaires les hommes ont cherché à manger *plus*. Faut-il aujourd'hui leur demander de manger *moins* ? Peut-on aller contre des habitudes aussi enracinées ? Beaucoup estiment que toute ingérence dans leur mode d'alimentation est une véritable atteinte à leur vie privée. Manger est devenu si banal et si évident qu'on n'y prête plus guère attention. La plus grande diversité règne en matière d'alimentation. Il en va de même des hommes. Les besoins sont très différents selon les individus. Inégaux dans notre façon d'assimiler une nourriture riche, nous le sommes aussi devant les aliments : certains adaptent à leurs besoins ce qu'ils mangent et boivent. D'autres ne peuvent résister à la tentation. Certains grossissent facilement, d'autres ne prennent jamais de poids. D'autres encore ne parviennent pas à grossir, même s'ils le souhaitent. Les facteurs héréditaires viennent ajouter à la complexité des phénomènes et des tendances. L'environnement ou le terrain moduleront à leur tour ces influences. C'est pourquoi il apparaît bien difficile sinon impossible de communiquer des règles de vie ou d'équilibre adaptées à chaque cas.

Voici cependant une tentative : l'histoire de notre expérience vécue. L'une de nous (Stella), par tradition familiale et expérience personnelle, s'est depuis longtemps passionnée pour la diététique. L'autre (Joël), avec des connaissances de biologie générale, dispose de l'accès à de nombreux documents scientifiques, ainsi que d'amitiés dans le monde des médecins et dans celui des nutritionnistes. C'est ce qui nous a conduits à tenter quelques expériences sur nous-mêmes. Puis nous avons eu envie d'écrire, dans un petit livre, les règles simples qui se dégagent des nombreux travaux des spécialistes. Il s'agit, en quelque sorte, de faire partager quelques conseils en amis.

Une remarque s'impose. *Nous ne sommes ni l'un ni l'autre diététiciens, nutritionnistes ou médecins.* Ce livre ne recommande donc pas de régimes spéciaux destinés à ceux qui souhaitent perdre du poids, à des sportifs en période d'entraînement, à des enfants, à des femmes allaitant, à des personnes âgées ou des diabétiques. Il existe pour eux de nombreux livres dont on trouvera les références à la fin de l'ouvrage. Nous nous adressons aux personnes en bonne santé mais qui ne se sentent pas pleinement « responsables » de leur santé. A ceux qui voudraient atteindre une santé optimale correspondant à leurs caractéristiques personnelles et sociales.

La prise de conscience de la malbouffe débouche sur l' « anti-grande bouffe » ou plus simplement sur l' « anti-bouffe ». C'est-à-dire sur un nouveau style de vie fondé sur un refus raisonné de la pléthore et sur une plus grande sélectivité alimentaire. Un style de vie qui dépasse le simple confort individuel, quelque peu égocentrique, pour déboucher sur une action susceptible d'avoir un impact au niveau de la collectivité tout entière. Par l'addition d'efforts personnels, on peut en effet modifier certaines tendances de la société. Mais aussi réduire à titre personnel les risques représentés par certaines maladies dégénératives; se sentir mieux dans sa peau; disposer de plus d'énergie pour affronter les difficultés ou les maladies; dormir mieux et d'un sommeil naturel; réduire la tension nerveuse et l'agressivité. Et, pourquoi pas, vivre plus longtemps. Non pas simplement pour prolonger la vie, mais pour accroître la qualité de la vie au cours du troisième âge. En conservant ses capacités intellectuelles et physiques pour apprendre, agir et créer plus longtemps.

Malgré l'utilisation fréquente, dans notre livre, de l'expression « anti-bouffe », nous ne sommes évidemment ni l'un ni l'autre opposés à la nourriture et au bien-manger. A plus forte raison à la bonne chère! Nous voulons simplement, par le biais d'une telle expression, réagir contre un certain gaspillage alimentaire et, du même coup, attirer l'attention sur le manque d'information du public en matière de nutrition moderne.

Ce livre présente donc de manière volontairement schématique et vulgarisée un sujet complexe et parfois difficile à traiter. Au moment où les problèmes de nutrition semblent particulièrement concerner (après ceux du tiers monde) les gouvernements des pays industrialisés, nous avons cherché à atteindre un large public auquel nous nous efforçons de communiquer les bases élémentaires d'un mode de vie équilibré, s'appuyant principalement sur la nutrition.

Nous avons eu, avant tout, le souci de la rigueur scientifique. Nous nous sommes, pour cela, appuyés sur les travaux récents des principaux nutritionnistes français. Plusieurs d'entre eux ont d'ailleurs bien voulu relire et critiquer des chapitres de ce livre. Leurs contributions les plus significatives, ainsi que celles des spécialistes étrangers dont nous avons utilisé les résultats, sont citées dans la bibliographie.

Plus particulièrement, notre livre doit beaucoup à l'œuvre du Pr Jean Trémolières (mort en 1976) dont l'esprit a inspiré de nombreuses pages de cet ouvrage.

Nous avons également beaucoup emprunté aux travaux des scientifiques suivants : le Pr Jean Mayer, nutritionniste français vivant aux États-Unis, président de l'université Tufts. Le Pr Marian Apfelbaum, de l'hôpital Bichat, que nous remercions pour ses judicieux conseils lors de la lecture du manuscrit; le Pr Henri Bour, directeur de l'Institut de diététique, que nous remercions également pour ses précieux commentaires et corrections lors de la lecture du manuscrit; le Pr Gérard Debry, de l'université de Nancy, dont le langage clair et pédagogique a permis de faire passer, chez les non-initiés, les principes de base de la diététique moderne; le Pr Henri Dupin, du Conservatoire national des arts et métiers, dont les vues sur la nutrition englobent le secteur alimentaire et les relations entre l'homme et l'environnement et que nous remercions également tout particulièrement pour avoir bien voulu lire et critiquer notre manuscrit; le Pr A. François, infatigable animateur du CNERNA (Centre national de coordination des études et recherches sur la nutrition et l'alimentation, dont il est directeur) et inspirateur de la revue *Annales de nutrition et d'alimentation*;

le Pr Jean Vigne, de l'hôpital du Val-de-Grâce, qui a su se mettre à la portée d'un large public et dont l'action au sein du Comité de vigilance pour la protection de la santé a porté ses fruits ; le Pr A. Creff, de l'hôpital Saint-Michel, dont les idées très pédagogiques ont inspiré certains tableaux de ce livre. Nous nous sommes inspirés également des travaux du Pr Jacques Lambert (hôpital Lariboisière), de Mme Bourgeay-Causse et de Mme Monique Astier-Dumas. Nous souhaitons mentionner également l'action et les travaux du Pr Pierre Royer, président de la Fondation pour la nutrition, et du Pr Jean Rey, de l'hôpital des Enfants-malades, qui ont tant fait pour l'alimentation du nouveau-né et du jeune enfant, ainsi que ceux du Pr Gounelle de Pontanel dont l'action vigoureuse sur les additifs et colorants alimentaires est bien connue. Enfin, nous nous devons de citer les travaux et les publications du Comité français d'éducation pour la santé, animé avec dynamisme par Mme Françoise Buhl, déléguée générale, dont les illustrations, les jeux « grand public » et l'esprit ont souvent guidé nos propres écrits.

Nos remerciements vont également à M. Georges Elgozy pour de bien utiles citations, au Dr Jacques Robin pour son soutien et ses critiques constructives, à Babette Roumanteau, pour sa soigneuse relecture et sa correction du manuscrit, à Marie-Hélène Orban et à Alain Bernard, pour avoir déterminé notre décision d'écrire ce livre.

A la fin de cet ouvrage vous trouverez un guide d'informations utiles : le « guide de l'anti-bouffe ». Avec des tableaux de la valeur calorique * des aliments usuels. Des exemples de menus équilibrés. La liste des associations diététiques. Un jeu pour tester vos connaissances. Une bibliographie simplifiée, un index et un glossaire des mots les plus ardus.

---

* Les unités internationales requièrent l'utilisation du Joule (j) à la place de la Calorie (c). Il suffit de multiplier cette dernière par 4,186 pour obtenir la conversion en Joules.

La mort aux dents

On est foutus... on mange trop!
Alain Souchon

Qui aurait pu penser que le seul fait de mal s'alimenter pouvait nous mettre en danger de mort? Manger en quantité insuffisante, chacun peut en comprendre aisément les effets. Mais comment manger trop ou manger de manière déséquilibrée peut-il affecter notre santé?

Il a fallu le verdict implacable des statistiques crachées par l'ordinateur pour mesurer toutes les conséquences mondiales de la grande bouffe et de la malbouffe. Aux États-Unis et dans la plupart des pays développés, 60 % des causes de décès seraient associées à de mauvais régimes alimentaires. Ce que nous mangeons est à la fois trop copieux, trop carné, trop gras, trop sucré, trop salé, trop raffiné et trop « arrosé ».

Nous délaissons les aliments traditionnels (pain, légumes secs, féculents) qui se rapprochent le plus des aliments « complets », riches en protéines et sels minéraux. Et nous nous jetons sur les sucreries, la viande de boucherie, les graisses, les calories « vides » (sucre, alcool); sur les aliments industriels tout préparés, salés, sucrés ou gras, bourrés d'additifs et sans véritable intérêt nutritionnel.

Quel chemin nous avons parcouru depuis le début du siècle! Quatre indicateurs permettent d'illustrer l'évolution de l'alimentation des Français comme nous le montrons dans le tableau de la page ci-contre.

L'évolution de l'alimentation des Français

pain	*en 1900* les Français consommaient 500 g de pain par jour et par personne, soit 180 kg par an. *en 1979* ils ne consomment plus que 180 g de pain par jour et par personne, soit 66 kg par an.
sucre	*en 1900* les Français consommaient 16 kg de sucre par personne et par an. *en 1979* ils consomment 36 kg de sucre par personne et par an, soit 100 g par jour, l'équivalent de 20 morceaux de sucre (les Américains en sont à 60 kg par an et par personne).
viandes	*en 1900* les Français consommaient 40 kg de viande par personne et par an. *en 1979* ils consomment 90 kg de viande par personne et par an, soit 246 g par jour (les Américains en sont à 312 g par jour, soit 114 kg par an).
graisses	*en 1900* les graisses représentent 15 % de la ration calorique des Français. *en 1979* elles en représentent près de 40 % (45 % aux U.S.A.).

Figure 1

La consommation en France de 1900 à 1979

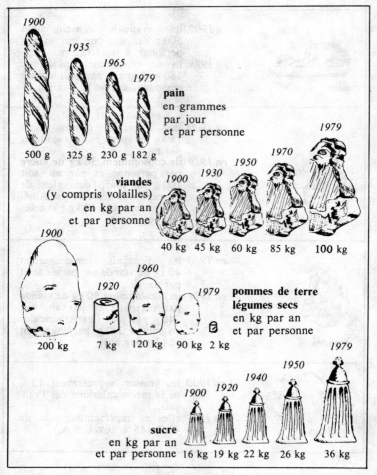

1900

1935

1965

1979

pain
en grammes
par jour
et par personne

500 g   325 g   230 g   182 g

viandes
(y compris volailles)
en kg par an
et par personne

1900   *1930*   *1950*   *1970*   *1979*

40 kg   45 kg   60 kg   85 kg   100 kg

1900

1960

1920

1979

**pommes de terre
légumes secs**
en kg par an
et par personne

200 kg   7 kg   120 kg   90 kg   2 kg

1900   *1920*   *1940*   *1950*   *1979*

sucre
en kg par an
et par personne   16 kg   19 kg   22 kg   26 kg   36 kg

Figure 2

On peut ajouter quelques commentaires à ces quatre indicateurs caractéristiques :

La consommation des aliments traditionnels et « populaires », pourtant riches en protéines et sels minéraux, diminue de manière drastique. Et cependant l'humanité s'en est nourrie pendant des millénaires. L'organisme n'était-il pas habitué au pain, aux pommes de terre, aux légumes secs, aux lentilles?

- Les aliments « de prestige » et prêts à l'emploi (viandes grillées, sucreries, fruits, conserves, *snack-food*) s'accroissent de manière considérable.

- Quelques catégories d'aliments seulement fournissent plus de la moitié de la ration calorique. Malheureusement, comme on le verra, il s'agit de calories « vides » (sucres, graisses et alcools) *.

C'est ainsi que la consommation de sucre a augmenté ces dernières années de 10 % par an. Elle doublait tous les sept ans jusqu'en 1975 où elle s'est stabilisée à sa valeur actuelle. Depuis 1900, elle a diminué en sucre *visible* (celui qu'on met dans le café), mais elle a été multipliée par trois dans sa partie *invisible* (gâteaux, boissons sucrées, glaces, etc.).

- La consommation de graisse s'accroît de 1 % par an. Elle est passée de 136 g par personne et par jour (1965) à 152 g par personne et par jour (1975), soit l'équivalent de quinze cuillères à soupe d'huile. Aux États-Unis, la quantité de graisse ingérée s'est accrue de 25 % depuis 1909. Elle représente aujourd'hui près de 45 % de la ration calorique des Américains.

- La consommation d'aliments pourtant fort riches au plan nutritionnel stagne (poissons, légumes verts).

- La consommation de fromage a doublé (de 7 kg par personne et par an à 14 kg). Celle des fruits s'est accrue de manière considérable.

Une telle évolution a de multiples causes. Les plus importantes sont probablement :

- L'accroissement du niveau de vie (notion de prestige attachée à un aliment).

* On reparlera des calories « vides » p. 65-66.

- L'urbanisation et le développement des cantines, des restaurants d'entreprises où 37 % des habitants de la région parisienne et 16 % de la population totale de la France prennent leurs repas (six milliards de repas par an en collectivité).
- L'accroissement du travail des femmes conduisant à l'utilisation de plats tout préparés diminuant au maximum la consommation de légumes (épluchage, longue cuisson, etc.).
- La pression des horaires incitant à la consommation des calories « vides » à assimilation immédiate, pour « tenir le coup ».

Il ne faut pas négliger l'aspect rituel, familial et social du repas et du bien-manger. Le rôle de la bourgeoisie sur l'instauration des trois repas ou celui du travail en 3 × 8 sur le découpage de la journée en tranches ponctuées par les repas ont été mis en évidence par les historiens. L'influence sociale est parfois plus profonde et plus indirecte : on lutte souvent contre l'inégalité et la frustration sociale en « bouffant ». Les statistiques sont frappantes : dans les classes favorisées, on trouve 35 % de maigres, 60 % de sujets normaux et 5 % d'obèses ; dans les classes les plus défavorisées, 3 % de maigres, 57 % de sujets normaux et 40 % d'obèses.

Les résultats d'une telle évolution sont inquiétants. La surmortalité des pays développés est très probablement liée à nos habitudes alimentaires.

CŒUR

En France, les maladies cardio-vasculaires (« crise cardiaque ») tuent chaque année au moins 250 000 Français. Elles causent une mort toutes les deux minutes. Elles représentent près de 40 % de toutes les causes de mortalité réunies.

850 000 Américains meurent chaque année de maladies de cœur et du système cardio-vasculaire.

Les accidents cérébro-vasculaires (« attaques », hémiplégies) ont augmenté de 10 % en dix ans.

Si l'on définit l'obésité comme une surcharge pondérale de 10 % seulement au-delà du poids idéal, les statistiques de l'INSEE indiquent qu'il existe en France 29 % d'hommes « obèses » et 22 % de femmes « obèses ».

Aux États-Unis, 20 à 30 % des adultes souffrent d'un excès de poids d'au moins 20 %. Il y a dans ce pays 15 millions d'obèses (soit 7 % de la population totale). Une étude réalisée en

Plus on est gros
moins on a de chances de vivre vieux

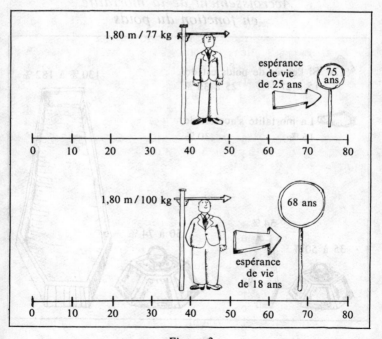

Figure 3

19

1968-1970 dans dix États et portant sur 14 000 enfants d'âge scolaire appartenant à des familles à bas revenus indique 30 % d'obèses dès l'âge de 18 ans. Une étude faite à grande échelle et pendant quatorze années à Framingham (Mass.) montre qu'une diminution de poids de 10 % chez des hommes âgés de trente-cinq à cinquante-cinq ans entraîne une diminution de risques de maladies cardio-vasculaires de 20 %. Au contraire, un accroissement de 10 % du poids entraîne un accroissement de risques de 30 %. Ce n'est pas le poids seul qui accroît la mortalité, mais son action sur d'autres facteurs liés au poids, tels que les facteurs hormonaux et métaboliques.

Accroissement de la mortalité en fonction du poids

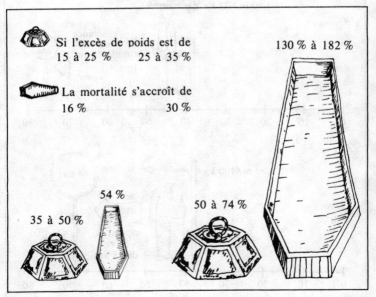

Figure 4

Un homme de poids normal âgé de cinquante ans mesurant 1,80 m et pesant 77 kg a une espérance de vie moyenne de vingt-cinq ans.

Un homme de même âge et de même taille pesant 100 kg n'a plus qu'une espérance de vie de dix-huit ans : son poids lui a fait perdre sept ans de vie.

Excès de poids = sept ans de vie en moins

Si l'excès de poids est de 35 à 50 %, la mortalité normale s'accroît de 54 %. Si l'excès de poids est de 50 à 74 %, la mortalité normale augmente de 130 % à 182 %.

HYPERTENSION

25 millions d'Américains souffrent d'hypertension. Cette hypertension est directement liée à la consommation exagérée de sel. Elle accroît considérablement les risques provenant d'autres maladies. Si, pour 10 000 personnes, le taux des décès par attaque est de 19, il est de 70 chez les hypertendus. De même pour l'infarctus du myocarde : le taux est de 83 pour 10 000 sujets normaux, et de 176 pour les hypertendus.

Les tendances de l'évolution actuelle du régime alimentaire dans les pays développés sont très inquiétantes. Pour plusieurs raisons :

1. Plus nous consommons d'aliments industriels et plus nous tirons de calories des sucres raffinés et des graisses. Il nous faudra donc trouver les vitamines et les sels minéraux indispensables à la vie grâce à l'apport d'un nombre sans cesse réduit d'aliments.

2. Quand on observe, au plan statistique, la relation entre les régimes alimentaires actuels et les principales maladies mortelles, on voit que les excès de graisses, de cholestérol, de sucres raffinés et la sédentarité accroissent les risques d'obésité. Lesquels sont à leur tour associés aux risques provoqués par l'hypertension, le diabète ou le tabac. Nous savons aujourd'hui

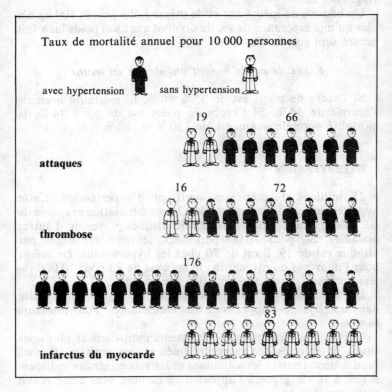

L'hypertension
accroît les risques résultant d'autres maladies

Taux de mortalité annuel pour 10 000 personnes

avec hypertension   sans hypertension

attaques   19   66

thrombose   16   72

infarctus du myocarde   176   83

Figure 5

que certaines maladies sans causes bien définies sont, pour une large part, liées à ce que nous mangeons : l'hypertension au sel; les caries dentaires, et probablement le diabète, au sucre; la constipation et les maladies diverticulaires de l'intestin (et

Les principales causes de mortalité aux États-Unis et en France

	U.S.A. 1976	FRANCE 1976
	(en % de décès)	
1 Affections vasculaires (cardio-vasculaires : « crises cardiaques » et cérébro-vasculaires : « attaques »)	51 %	38 %
2 Cancers	20 %	22 %
3 Accidents, morts violentes	5 %	8 %
4 Maladies du système respiratoire	5 %	7 %
5 Autres causes	19 %	25 %

Figure 6

peut-être certains cancers du côlon) à des aliments trop raffinés et pauvres en fibres cellulosiques. Il ne faut pas, bien entendu, sous-estimer le rôle de l'hérédité qui prépare le « terrain ». L'alimentation joue alors un rôle de « révélateur » pour certains défauts génétiques.

3. Il est également significatif que les taux les plus élevés du cancer du sein chez la femme et du cancer du côlon chez l'homme se trouvent chez les habitants des pays qui ont la plus forte consommation de graisses animales, mais qui sont aussi les pays les plus développés. D'où des interférences difficiles à établir avec d'autres facteurs de l'environnement. De manière plus générale, les formes de cancer qui semblent dépendre de

l'alimentation comprennent les cancers de l'estomac, du foie, du sein, de la prostate, du gros intestin et du côlon. Ces résultats statistiques globaux demanderont encore de nombreuses années de recherches avant d'être étayés par des preuves acceptables par tous les médecins.

La nutrition est aujourd'hui incriminée dans six des dix premières causes de mortalité des pays développés : maladies cardio-vasculaires, cancers, maladies cérébro-vasculaires, diabète, artériosclérose, cirrhose.

Les diagrammes et tableaux retraçant l'évolution des modes alimentaires des pays développés le démontrent clairement : il ne suffit plus aujourd'hui de se préoccuper de son alimentation en vue d'un régime amaigrissant, pour garder la ligne. Il s'agit bel et bien de survie. Arrêtons de creuser notre tombe avec nos dents. Tâchons de comprendre ce qu'il faut faire pour évoluer vers une alimentation plus équilibrée, gage d'une vie elle-même plus équilibrée et d'une qualité de la vie accrue.

Une approche nouvelle

*Tous les hommes sont égaux
mais certains le sont moins
que d'autres.*
Tristan Bernard

Une situation aussi catastrophique ne paraît pas aisée à modifier. Les remèdes classiques ne marchent plus. Comment guérir quand on ne connaît pas les causes? Ou, plutôt, par quoi commencer, puisque tout semble imbriqué?

Une fois de plus, la méthode analytique (isoler les causes et les effets, agir sur une variable à la fois, etc.) s'avère inefficace. Il faut faire appel (comme d'ailleurs dans de nombreux autres secteurs de la société moderne) à une approche plus globale, capable de démêler la complexité des systèmes observés et sur lesquels on veut agir. Faire appel à une approche capable d'utiliser les interactions entre les éléments des systèmes dans un sens positif. Pour les faire changer et évoluer.

Cette approche nouvelle, complémentaire de l'approche analytique, est de plus en plus utilisée aujourd'hui en économie, écologie, gestion des entreprises, urbanologie, énergie, architecture, médecine, éducation, informatique. C'est *l'approche « systémique »*. Elle a été illustrée par le symbole du « macroscope » (voir p. 168). Cette approche globale se concentre sur les interactions entre les différents éléments d'un système et le comportement dans le temps de ce système. Elle fait ressortir:

L'*interdépendance* des facteurs.

La nécessité de mettre en œuvre des *moyens combinés* pour obtenir un résultat (combinaison de moyens).

Vu sous cet angle, le problème des maladies sans cause directe

25

s'éclaire d'une tout autre lumière. On dispose désormais d'un moyen pour comprendre, et peut-être pour agir : en utilisant, justement, des moyens combinés. Car les effets nocifs se combinent, pour le pire. Mais les effets bénéfiques aussi, et pour le meilleur.

1. Les effets nocifs se combinent

Pour un peu, on regretterait le bon vieux temps. Quand un microbe était considéré comme responsable d'une maladie, il suffisait de l'isoler, de l'identifier, d'utiliser contre lui le remède approprié. Et c'en était souvent fait de la maladie. Les mêmes causes produisaient les mêmes effets... Or, dans les pays développés, les maladies infectieuses n'interviennent aujourd'hui que pour 4 % seulement des décès. La médecine et la santé publique sont confrontées à des maladies sans causes précises, mais souvent mortelles (maladies cardio-vasculaires, cancers, etc.) ou à des maladies moins graves mais qui ruinent la qualité de notre vie et nous tuent à petit feu (rhumatismes, allergies, diabète, hypertension). En regardant les choses au « macroscope » on voit :
- que les facteurs de risques se combinent et se renforcent;
- que les effets nocifs s'alimentent les uns aux autres;
- qu'il n'y a plus une seule cause aux maladies du monde moderne, mais de multiples causes interdépendantes, faisant intervenir simultanément l'hérédité, le mode de vie, l'environnement.

Prenons l'exemple des maladies cardiaques (infarctus du myocarde) : plusieurs facteurs nocifs se combinent en accroissant les risques statistiques.

Les maladies de cœur
dépendent de la combinaison de plusieurs effets

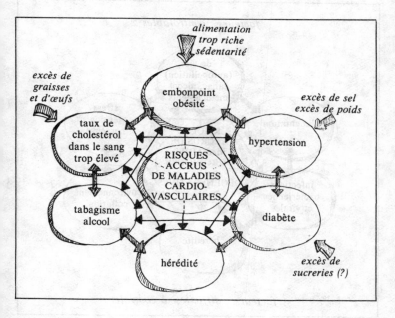

Figure 7

Ces facteurs peuvent également se combiner avec d'autres, résultant par exemple de notre environnement immédiat (sur lequel nous avons individuellement peu de prise), comme la pollution atmosphérique, ou de notre patrimoine héréditaire; avec les infections bactériennes, virales; ou encore avec l'auto-pollution (tabac, alcool, surconsommation de médicaments). Ce qui conduit à un accroissement des risques de maladies chroniques ou de maladies dégénératives sans causes bien déterminées.

Les effets nocifs se combinent

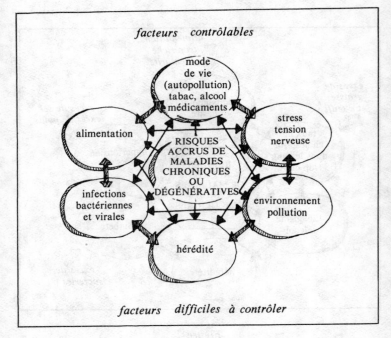

facteurs contrôlables

mode
de vie
(autopollution)
tabac, alcool
médicaments

stress
tension
nerveuse

alimentation

RISQUES
ACCRUS DE
MALADIES
CHRONIQUES
OU
DÉGÉNÉRATIVES

infections
bactériennes
et virales

environnement
pollution

hérédité

facteurs difficiles à contrôler

Figure 8

Pour le seul cancer, on a pu également montrer la multiplicité des facteurs en cause et la combinaison des effets nocifs. Sans prétendre les énumérer ou les représenter de manière exhaustive, il est cependant possible d'illustrer les interactions mises en évidence par les chercheurs entre alimentation, environnement, tabagisme et alcoolisme, par exemple. Il n'y a pas une seule cause : à nouveau, chaque facteur d'accroissement des risques agit sur les autres.

Les multiples causes du cancer

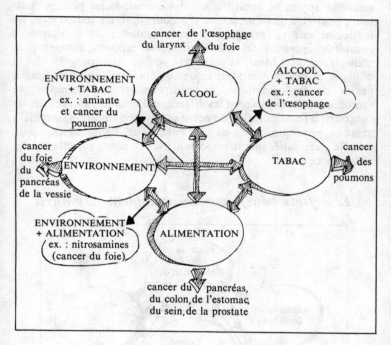

Figure 9

2. Mais les effets bénéfiques se combinent eux aussi

Les effets nocifs ne sont pas les seuls à se combiner et à se renforcer. On peut volontairement appliquer des combinaisons de moyens propres à améliorer la santé de toute une population ; ou plus directement à améliorer de sa propre santé. Cette nouvelle approche constitue un des domaines les plus prometteurs peut-être de la médecine d'aujourd'hui. De tout temps, les médecins ont su prescrire à leurs malades des traitements combinés : prendre tel médicament, se reposer, manger peu, transpirer, etc. Mais aujourd'hui, grâce aux progrès de la biologie et des études statistiques et épidémiologiques, liées à l'essor de l'informatique, on comprend mieux comment se renforcent et se combinent les différents éléments susceptibles de concourir à l'amélioration de notre santé : alimentation, sommeil, exercice physique, mode de vie. Parmi eux, l'alimentation joue un rôle particulièrement important. C'est pourquoi elle est au cœur de ce livre.

Les effets bénéfiques se combinent eux aussi

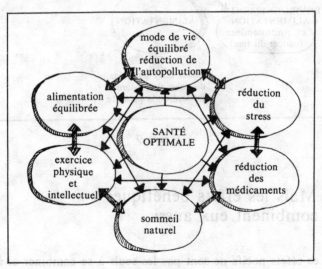

Figure 10

Chacun de ces éléments agit sur les autres : l'alimentation joue un rôle sur le comportement général, sur la diminution ou l'accroissement de l'agressivité, par exemple ; l'exercice physique influence le sommeil et contribue à réduire le stress. La tranquillité et l'équilibre mental entraînent à leur tour une diminution de l'envie de fumer, de boire, ou de se doper avec des excitants.

Il existe, bien entendu, de grandes variations selon les individus. Tout le monde ne réagit pas de la même façon. Cependant, toutes les études contribuent à le montrer : la combinaison des effets bénéfiques permet d'obtenir des résultats décisifs et durables sur la gestion de sa santé. Chacun peut poser les critères qui lui conviennent.

Car il n'y a pas de norme fixée d'avance (sauf dans les régimes totalitaires, ou pour les besoins de la publicité et du profit). Il faut donc remplacer la notion de normalité (qui n'est que l'agrégat statistique de toutes les déviances) par celle d'optimalité, objectif à atteindre en fonction de sa nature propre. Et cela grâce à ce que l'on pense être « bon » pour soi, compte tenu de son hérédité, de son âge, de ses capacités physiques ou intellectuelles, de ses vices ou de ses plaisirs.

Alors, vive la différence, et à chacun sa norme ! La recherche d'un chemin personnel vers le bonheur est une forme de libération, d'autogestion et d'autonomie par rapport aux contraintes individuelles et sociales. On pourrait l'appeler la recherche d'une *autonorme*. Nous avons nous aussi, comme les peuples, le droit à disposer de nous-mêmes : un droit à l'autodétermination des individus, le droit à l'autonorme. C'est le droit à l'autogestion de sa norme personnelle, le premier pas vers l'autogestion de sa santé. L'autogestion doit donc commencer par soi-même. Pour s'autogérer, il est essentiel de comprendre que son corps, sa personne, son être résultent eux aussi d'une combinaison d'éléments interdépendants nécessitant une approche globale de l'individu.

Les éléments de base d'une vie équilibrée

La manière dont on digère décide presque toujours de notre manière de penser.
Voltaire

1. Les six dimensions de la personne

Qu'est-ce qu'une vie bien équilibrée? L'équilibre n'est pas un état que l'on atteint et qui se maintient tout seul. L'équilibre total, c'est la mort. Tout ce qui vit ne connaît que des états de déséquilibre contrôlé. C'est-à-dire des réajustements perpétuels d'équilibres temporaires grâce à la détection et à la correction des écarts. Les biologistes appellent cela un « état stationnaire dynamique ». Les multiples éléments qui contribuent au maintien de cet état interagissent en permanence les uns sur les autres en apportant chacun leur contribution.

Ainsi en est-il de la santé. Le corps est comme une machine autogérée : il lui faut de l'énergie pour tourner, des matériaux pour se réparer et pour compenser les pertes. Encore doit-il être capable de déceler les déséquilibres et d'y remédier à temps.

Lorsqu'un équilibre délicatement contrôlé se trouve brisé, ou lorsqu'un déséquilibre non contrôlé se prolonge, l'organisme entre en état de dépendance vis-à-vis de l'extérieur. Des gestes aussi simples et quotidiens que la prise d'un somnifère, la consommation d'alcool ou de café, la cigarette, marquent en fait notre dépendance envers un agent extérieur. Exactement comme pour un drogué. Notre équilibre se trouve perturbé et les effets nocifs des poisons que nous nous administrons se combinent et se renforcent. L'équilibre illustré par la figure 10 est rompu. Ce déséquilibre se répercute sur l'ensemble de notre état physique.

Notre santé se dégrade peu à peu, influençant notre état psychique, lequel à son tour contribue bien souvent à accélérer et à amplifier les effets du déséquilibre physiologique.

Interdépendance et combinaison de moyens sont ici parfaitement illustrées : seule une approche globale permet d'en saisir l'importance.

Nous avons tellement pris l'habitude de nous observer sous l'angle *analytique,* en disséquant le corps et l'esprit en secteurs juxtaposés, que nous avons fini par oublier que l'être humain est en réalité une totalité multidimensionnelle indivisible. Il est fait d'une multiplicité de composantes physiques, biologiques, psychologiques ou sociales, qui interagissent les unes sur les autres et tissent le caractère ou la nature de chacun. L'organisme, la personne, l'être font intervenir des composantes d'ordre biologique, intellectuel, affectif, professionnel, social ou spirituel qui constituent les dimensions réelles de notre personnalité.

Une des règles de base d'une vie équilibrée peut donc se formuler ainsi : chaque progrès dans l'une des dimensions de l'être humain se répercute sur toutes les autres.

Une amélioration de l'état physique se répercute sur les capacités de travail ou de concentration. Une grande joie d'ordre affectif sur le physique. Une élévation d'ordre spirituel sur nos relations avec les autres. C'est en cela que l'amélioration de notre état physique, grâce, notamment, à une alimentation plus équilibrée et à l'exercice du corps, a tant d'importance : cet investissement personnel est aussitôt valorisé dans toutes les autres dimensions de notre individualité.

On peut distinguer six dimensions fondamentales de la personne :

PHYSIQUE

Elle est représentée par le corps. L'organisme biologique. le maintien des équilibres et le développement de nos capacités physiques nous confèrent la résistance et l'énergie qui sont la base de toute évolution.

AFFECTIVE

Se sentir « bien dans sa peau » a une influence directe sur l'image que nous avons de nous-même et sur nos relations avec les autres. La vie affective et émotionnelle se fonde le plus souvent sur la notion d'estime de soi et des autres.

INTELLECTUELLE

Notre capacité à nous adapter à un monde changeant, à intégrer le savoir et la culture, à résoudre des problèmes, à communiquer, dépend de cette dimension essentielle de la personne.

PROFESSIONNELLE

C'est généralement dans l'exercice d'un métier ou d'une vocation que nous nous accomplissons en tentant de donner le meilleur de nous-même. Le reflet de nos actions sur le monde extérieur a un impact déterminant sur la conduite de notre vie.

SOCIALE

L'homme est un animal social. Nos joies et nos peines proviennent en grande partie de notre capacité d'association avec les autres. C'est dans le cadre de la société que s'expriment choix et contraintes, champs d'exercice de la liberté.

SPIRITUELLE

Sans aspiration à quelque chose de plus grand que soi, il est difficile de concevoir développement et épanouissement de la personne. Pour certains, la dimension spirituelle irrigue et

34

enrichit toutes les autres. Pour d'autres, le recours à l'imaginaire, au symbolique, est une exigence essentielle de l'enrichissement de la vie.

Une ascèse physique et une attention toute particulière à l'alimentation sont traditionnellement considérées comme des éléments de base permettant d'atteindre des états élevés de spiritualité. Les exemples sont nombreux dans toutes les religions, les textes sacrés ou les pratiques orientales telles que le yoga et la méditation transcendantale.

Le diagramme ci-dessous illustre les interactions entre les six dimensions de la personne humaine.

Les six dimensions et les quatre niveaux de la personnalité humaine

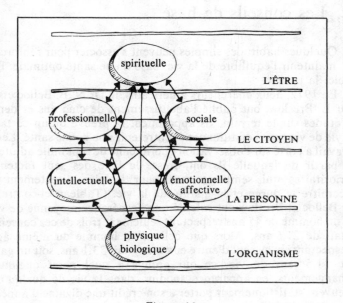

Figure 11

On peut vérifier sur ce schéma certaines des interactions que le bon sens populaire connaît empiriquement depuis longtemps et qu'il sait mettre en évidence. Par exemple, la relation entre le physique, l'intellect et l'esprit, que les Grecs mettaient si fréquemment en avant. A l'inverse, un accent portant exclusivement sur la réussite professionnelle au détriment des autres dimensions humaines entraîne souvent déséquilibres affectifs, sociaux, physiques, voire spirituels. Lesquels se manifestent par d'autres désordres et même par certains types de maladies. Ce qui nous concerne plus particulièrement ici, c'est l'impact de l'amélioration de notre dimension physique sur toutes les autres. Au premier rang des moyens combinés à mettre en œuvre se situent évidemment l'alimentation et le mode de vie.

2. Les conseils de base

Quelques habitudes simples peuvent s'associer pour renforcer et maintenir l'équilibre de la vie, base d'une santé optimale. En voici la preuve.

En 1972, deux chercheurs américains, le Dr N. B. Belloc et le Dr L. Breslow, ont publié l'aboutissement de cinq ans et demi d'études sur le terrain. Ils apportaient la preuve qu'un certain style de vie peut conditionner et entretenir une bonne santé. Leur travail a porté sur l'observation quotidienne de sept mille adultes, à partir de laquelle ils ont dressé la liste des sept facteurs prioritaires qui semblent contribuer le plus directement à accroître la durée et la qualité de la vie. (Tableau ci-contre.)

Belloc et Breslow ont calculé que l'espérance moyenne de vie d'un homme de 45 ans respectant seulement trois de ces conseils, était de 21,6 ans. Alors que celle d'un homme du même âge respectant six ou sept d'entre eux atteignait 33,1 ans, soit un gain de 11,5 ans de vie, ce qui prouve à quel point quelques changements, en apparence anodins, dans la vie de quelqu'un peuvent statistiquement porter à son crédit une dizaine d'années supplémentaires.

1 Prendre trois repas par jour à des heures régulières.

2 Prendre un petit déjeuner chaque jour.

3 Faire modérément de l'exercice deux ou trois fois par semaine.

4 Dormir régulièrement sept à huit heures par nuit.

5 Éviter de prendre du poids.

6 Éviter l'alcool ou en consommer avec modération.

7 Éviter de fumer.

Figure 12

En fait, un homme ne pratiquant aucun exercice, ayant une tendance à l'embonpoint, et qui, de plus, fume et boit de l'alcool, ne se contente pas de raccourcir son espérance de vie; il participe activement à l'accélération quotidienne de certains des processus internes qui conditionnent le vieillissement. Il dégrade irréversiblement la qualité des années qui lui restent à vivre. Beaucoup font remarquer : « Quel intérêt aurais-je à vivre jusqu'à quatre-vingts ans, privé de mes facultés intellectuelles et physiques? » Peut-être. Mais quel intérêt y a-t-il à vivre jusqu'à soixante-cinq ans avec une vie qui se dégrade dès la cinquantaine? Il s'agit moins d'ajouter des années à la vie que de donner plus de vie aux années.

On peut tirer des observations précédentes quelques conclusions très simples :

Vous (et non le destin, l'environnement ou la seule hérédité) êtes directement et prioritairement responsable de votre santé).

Votre mode de vie détermine votre état de santé.

37

Parmi les éléments de ce mode de vie ayant une influence sur la santé, les plus importants sont en relation avec : l'alimentation, l'exercice, la relaxation, le tabac, les situations de vie (métier, famille, etc.).

Les tout premiers efforts pour atteindre une santé optimale et une qualité de vie améliorée doivent donc porter sur les six points suivants :

1. L'alimentation
2. Le sommeil
3. L'exercice du corps et de l'esprit
4. La réduction de l'autopollution (tabac, alcool, café)
5. La réduction des médicaments
6. La réduction du stress.

Comment accroître son espérance de vie
de plus de 10 ans, en respectant quelques conseils simples

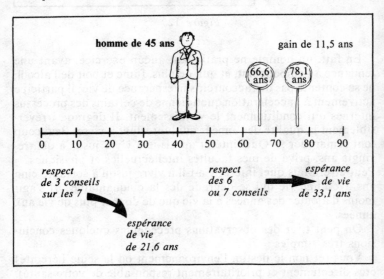

Figure 13

3. Quelques recommandations générales en vue d'une meilleure alimentation

Les experts sont unanimes : on peut modifier l'état global de santé d'une population en rééquilibrant son alimentation quotidienne, par la prise en compte des dix facteurs suivants :

Diminuer

le cholestérol
le sel
le sucre
les graisses totales
les graisses saturées (animales)

Accroître

les graisses poly-insaturées (végétales)
les féculents
les fibres végétales non digestibles
les vitamines
l'eau

Figure 14

De telles recommandations ont été faites en 1978 par deux cents scientifiques de vingt-trois pays réunis à l'université d'Oslo. Elles sont très voisines de celles que proposait en 1977 la commission sénatoriale McGovern dans un rapport intitulé : *Objectifs diététiques pour les États-Unis* *.

Ce rapport compare le régime alimentaire actuel des Américains (très voisin de celui des habitants de pays développés, et en particulier des Français) à un objectif diététique à atteindre. Il propose des recommandations permettant de modifier un tel régime, tout en faisant ressortir les bienfaits que la société peut en attendre.

* Ainsi que par l'Organisation mondiale de la Santé et la Food and Agricultural Organization (FAO).

Régime actuel des Américains	Objectif diététique
glucides 46 % 24 % sucre raffiné	**glucides 58 %** 10-15 % sucre raffiné *réduction*
22 % glucides à assimilation lente pommes de terre riz pâtes	40-45 % glucides à assimilation lente pommes de terre riz pâtes légumes fruits *accroissement*
lipides 42 % 16 % graisses saturées (animales) beurre, charcuterie	**lipides 30 %** 10 % graisses saturées *réduction*
26 % graisses poly et mono-insaturées huiles végétales	20 % graisses poly et mono-insaturées huiles végétales *réduction*
protéines 12 % viandes bœuf, porc, veau	**protéines 12 %** poisson lait poulet œufs *maintien* *remplacement*

Figure 15

Consommation par jour

	régime alimentaire actuel des pays développés	objectif pour un régime optimal *
calories totales	3 000 (± 500) par repas 0 – 1 500 cal. par *snack* 50 – 600 cal.	2 000 (± 500) 300 – 600 cal. 80 – 200 cal.
protéines	100 – 160 g	50 – 100 g
matières grasses	120 – 140 g	40 – 80 g
glucides	total 250 – 350 g sucre pur a5 – 30 % (100 g/jour) (20 morceaux)	250 – 350 g moins de 15 % (30 g/jour) (6 morceaux)
cholestérol	600 – 1 000 mg	moins de 300 mg
sel	10 – 20 g	moins de 7 g
calcium	moins de 500 mg	800 à 1 200 mg
fibres totales	moins de 10 g	30 à 40 g
alcool	largement utilisé	très modérément utilisé

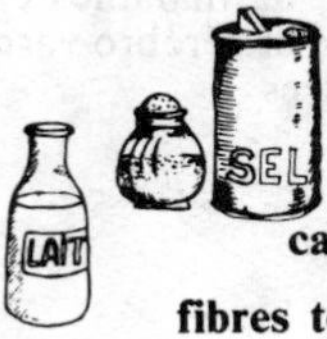

Figure 16

* Régime d'un citadin à l'activité sédentaire.

Comment faire pour passer du régime actuel à l'objectif diététique proposé? (Détails pratiques p. 97).

Recommandations. Comment faire. Pourquoi.

éviter - l'excès de poids - l'excès de calories totales	- surveiller poids - faire de l'exercice - consommer les calories que l'on peut dépenser	limite les risques d'obésité, d'embonpoint, de diabète.
limiter - la consommation de cholestérol à 300 mg par jour - la consommation de sel à 3-5 g par jour	- réduire le beurre, les œufs (5 à 6 par semaine), les abats (cervelle, foie) - réduire le sel dans les plats - réduire la consommation « de snack-food » (biscuits salés, noisettes salées, jus de fruits salés)	réduit les risques d'artériosclérose, de maladies cardio-vasculaires, d'hypertension.
diminuer - le sucre raffiné - les graisses totales - les graisses saturées (animales)	- réduire le sucre pur en poudre et en morceaux - diminuer la consommation de beurre, crème, graisses animales - diminuer la consommation de viande de boucherie, de charcuterie. Remplacer par volaille, poisson - remplacer le lait entier par le lait écrémé ou allégé	réduit les risques d'obésité, de diabète, de caries dentaires, d'artériosclérose, de maladies cardio et cérébro-vasculaires

Ces indications sont évidemment très générales. Il faudra revoir plus en détail comment elles se traduisent au plan pratique, mais déjà on peut se faire une idée du but à atteindre et du chemin qu'il reste à parcourir.

Fondées sur les travaux scientifiques les plus approfondis, ces recommandations, pour la première fois, donnent un objectif à atteindre. Voyons comment on peut les appliquer à la vie quotidienne.

augmenter		réduit le cholestérol
- les graisses poly-insaturées (végétales)	- accroître la proportion d'huiles végétales, poissons	évite l'accroissement brutal du glucose dans le sang qui fatigue le pancréas, évite les calories vides (apport énergétique seul)
- les sucres à assimilation lente (glucides complexes)	- accroître la proportion de pain, céréales, féculents	
	- accroître la proportion de fruits, légumes.	
ajouter	- ajouter des fibres (son). Manger du pain et des farines complètes	facilite le transit intestinal, accroît le volume des selles, réduit le taux de cholestérol du sang, réduit les risques de certains cancers du côlon, évite certaines maladies rénales
- fibres non digestibles		
- vitamines	- fruits et légumes verts. Varier l'alimentation	
- sels minéraux		
- eau	- boire du lait (calcium)	
	- boire plus d'eau (8 à 10 verres par jour)	

Accroître la consommation d'un aliment signifie lui réserver proportionnellement une place plus grande dans la ration quotidienne. Un accroissement disproportionné conduirait en effet à un excès de calories totales.

Figure 17

L'autogestion
commence par soi-même

La connaissance de soi
permet de concilier
la fête et la santé.
Pr Marian Apfelbaum

Cela paraît bien difficile de suivre les recommandations des experts. Par où commencer? Comment changer ses habitudes? Et le plaisir, dans tout cela, qu'en fait-on? La gastronomie a quand même du bon! Il faut savoir se réserver des plaisirs, sinon la vie serait bien terne. C'est vrai. Mais il faut savoir aussi mesurer les risques auxquels on s'expose. Et surtout, si on le souhaite, savoir *choisir* ses risques.

Lorsqu'on est en état de dépendance vis-à-vis de l'extérieur (comme l'est un drogué), on a du mal à choisir, à hiérarchiser, voire à raisonner. Or le sucre, les graisses cuites, sans parler, évidemment, du tabac, de l'alcool et même du café, nous enferment dans les cercles vicieux de la dépendance physiologique et psychologique.

Pour les briser, il faut apprendre à s'autogérer. A gérer sa santé. L'autogestion, nous l'avons dit, commence par soi-même.

L'anti-bouffe est une attitude positive de refus raisonné. Un premier pas vers une plus grande autonomie, une liberté accrue vis-à-vis de soi-même et vis-à-vis de la société.

- Vis-à-vis de *soi-même,* car briser les dépendances conduit à plus de liberté individuelle.

- Vis-à-vis de la *société,* car un mode de vie différent et surtout un régime alimentaire différent sont une forme de vote permanent. La moindre consommation de viande de bœuf ou de porc par exemple (non pas simplement par goût ou par esthétique, mais parce qu'on en connaît les implications agricoles, énergétiques et sociales) est un moyen combiné permettant, indirectement, de faire évoluer la société. L'anti-bouffe s'appuie sur quelques règles simples permettant d'équilibrer l'alimentation et de contribuer ainsi à une santé optimale. Depuis longtemps, de telles règles ont un nom : la *diététique* *.

> *Savoir s'autogérer implique donc en premier lieu la connaissance d'une* diététique simple pour mieux vivre.

Alimentation, diétique et nutrition sont en étroite relation les unes avec les autres.

L'ALIMENTATION

C'est le *bon sens*. L'ensemble des règles empiriques résultant de l'expérience populaire et de la tradition orale ou écrite : savoir varier les plats, renforcer la qualité nutritive des aliments par leur association, rechercher les fruits pour les vitamines, etc.

LA DIÉTÉTIQUE

C'est la *règle*. Elle résulte de l'observation des résultats des régimes alimentaires dans le monde, des progrès scientifiques (biologie, médecine), des résultats des recherches des nutritionnistes qui ont conduit peu à peu à édicter les règles de base du « savoir-manger » : mangez juste et vivez mieux.

LA NUTRITION

C'est la *science*. Domaine multidisciplinaire s'appuyant notamment sur la chimie, la biochimie, la biologie, la physiologie

* Diététique vient du grec *diaita* qui signifie « genre de vie ».

et la médecine. Ses progrès ont été spectaculaires ces dernières années. Les découvertes récentes des nutritionnistes viennent en retour renforcer, rajeunir et objectiver de vieilles règles empiriques alimentaires, voire diététiques.

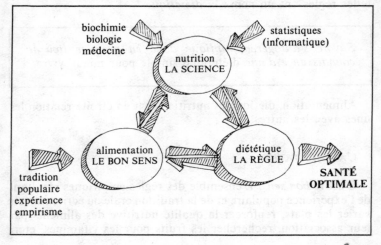

Figure 18

En fait, en ce siècle de progrès techniques et de naissance de nouvelles sciences, nous allons peut-être devoir inventer une nouvelle discipline scientifique capable de recouvrir tous les aspects de l'alimentation (applications pratiques), de la diététique (respect et suivi des règles) et de la nutrition (recherche). Après la cybernétique des années cinquante, l'informatique des années soixante, on pourrait proposer d'appeler la *nutritique* le domaine d'étude fondamentale et appliquée de tout ce qui touche à l'alimentation. La nutritique fait appel à une approche systémique (pour comprendre) et à la mise en œuvre de combinaison de moyens (pour agir). Elle ne s'occupe pas seulement du tube digestif, ou du dosage des oligo-éléments, mais considère les interdépendances et les interactions. Les études sur la nutrition sont considérées comme prioritaires dans plusieurs pays, afin de réduire les coûts exorbitants de la santé publique et surtout leur croissance. Il nous faut des *nutriciens*, capables de jeter un regard neuf sur un des problèmes les plus graves de notre temps.

Chacun d'entre nous a probablement souhaité, une fois dans sa vie, manger de manière plus équilibrée. Manger plus juste et plus léger, éviter les excès ou les carences.

Beaucoup ont reculé devant les difficultés de l'entreprise. Commencer seul est pratiquement impossible : les informations dont on dispose sont trop parcellaires. Commencer par un livre est certes une bonne méthode, mais les livres de diététique sont souvent compliqués, difficiles à lire et à mettre en pratique. Malgré les meilleures intentions, on est vite dissuadé par un vocabulaire technique où se mêlent nutriments, métabolismes, glucides complexes, acides aminés, acides gras poly-insaturés, triglycérides, oligo-éléments ou rapport calorico-azoté. Les conseils des experts restent vagues. Comment savoir? Les calories, est-ce bon ou mauvais? Comment calculer la valeur calorique de chaque quantité ou portion usuelle? Faut-il une balance en permanence sous la main?

On pourrait multiplier les exemples permettant à chacun de se donner bonne conscience, pour ne pas suivre quelques règles diététiques de base.

Pour essayer d'aider tous ceux qui veulent tenter quand même la grande aventure de l'anti-bouffe, les chapitres qui suivent présentent de manière volontairement simplifiée l'essentiel de ce qu'il faut savoir sur l'alimentation et sur les règles de base d'une diététique moderne.

LE B.A. BA
DE L'ALIMENTATION

1. Qu'est-ce que nous mangeons?

Il existe plusieurs classifications des aliments de base naturels et industriels.

A partir des plus courantes, nous avons dégagé les huit catégories présentées dans le tableau ci-contre (p. 49).

2. A quoi servent les aliments?

Le corps, comme une voiture, a un besoin permanent d'énergie. Il a également besoin de matériaux de construction, de réparation et d'entretien; ainsi que de produits de recyclage et de produits facilitant l'élimination des déchets. On peut considérer que le corps contient une série de réservoirs qui se remplissent et se vident simultanément, et dont il faut maintenir les niveaux constants. Ainsi, pour la voiture, les niveaux d'essence, d'huile, d'eau, la pression des pneus, le niveau du lave-glace, des freins ou de la batterie.

Le rôle de l'alimentation est de fournir au corps les éléments indispensables à la vie et de maintenir les niveaux constants.

1 les viandes, charcuteries, poissons, œufs

viandes maigres (mouton, bœuf, veau)
viandes grasses (porc)
chacuteries
· poissons, œufs

2 les produits laitiers

lait, fromages, yaourts
Riches en calcium, en vitamines, en protéines

3 les aliments contenant de l'amidon

les céréales (blé, maïs, riz, sorgho, mil, seigle, orge, avoine)
les tubercules (pomme de terre, manioc)
les dérivés (pain et pâtes)
Certains contiennent relativement peu de protéines mais cons-
tituent une réserve d'amidon et donc une réserve d'énergie.

4 les légumes secs et les légumineuses

légumes secs (haricots secs, haricots blancs, petits pois, pois
cassés, pois chiches, lentilles, fèves)
les légumineuses : soja, luzerne, arachide
Ce sont des sources de protéines (riches en lysine)
des sources de calcium et de fer (haricots, lentilles)

5 les légumes verts et les fruits

haricots verts, épinards, carottes
pommes, bananes, raisin, etc.
Riches en fibres cellulosiques, sels minéraux, vitamines.

6 les boissons

alcoolisées (vin, bière)
stimulantes (café, thé)
jus de fruits (sodas), eau

7 les produits sucrés

sucre raffiné (en poudre ou en morceaux)
sucreries cachées (pâtisseries, glaces, crèmes, desserts, etc.)

8 les matières grasses

beurre, huile, margarine

Figure 19

49

Matériaux de construction

LES PROTÉINES (ou protides) (nécessaires aux tissus, muscles, cheveux, ongles)

LES MINÉRAUX
Calcium, phosphore (charpente osseuse)

Pour quoi faire?

Pour croître, se développer, se renouveler, le corps a besoin de matériaux de construction. Chaque minute, il perd des protéines (pertes azotées dans les urines). Il doit les remplacer.

L'énergie

LES GLUCIDES
(amidon, sucres)

LES LIPIDES
(matières grasses)

Pour quoi faire?

Le corps est comme une chaudière. Il s'y déroule en permanence des réactions de combustion qui brûlent des combustibles alimentaires (sucres, graisses) en présence ou en absence d'oxygène (respiration, fermentation) et dégagent des calories utiles pour maintenir la température du corps, assurer le déroulement de ses grandes fonctions (digestion, circulation, respiration) ou lui permettre de se déplacer.

Réparation-entretien

LES PROTÉINES
LES ENZYMES
(protéines spéciales)
LES VITAMINES
LES SELS MINÉRAUX

Pour quoi faire?

Les enzymes sont les chimistes du corps. Elles catalysent (accélèrent) des milliers de réactions de réparation, d'entretien. Il leur faut, pour agir, s'associer à des vitamines, des métaux (fer, cuivre, zinc), des sels minéraux.

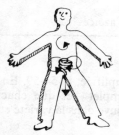

Recyclage-élimination

L'EAU
LA CELLULOSE
des légumes, des fruits, des céréales complètes

Pour quoi faire?

L'eau est la source et le support de toute vie. Elle représente 70 % du poids du corps. Elle permet la filtration et le recyclage (rein). Elle s'élimine par l'urine, la transpiration, les matières fécales, la respiration. La cellulose ou les fibres non digestibles jouent un rôle essentiel dans l'élimination des déchets et la fonction intestinale.

Figure 20

3. De quoi sont faits les aliments?

Essentiellement de trois catégories de substances qui portent souvent des noms différents :

LES GLUCIDES ou encore	hydrates de carbone sucres à assimilation lente et à assimilation rapide
LES LIPIDES ou encore	matières grasses graisses corps gras
LES PROTIDES ou encore	protéines matières azotées

Figure 21

Pour chacun : une fiche technique simplifiée, p. 54-59. En se souvenant qu'aucun aliment n'est « complet » et que chacun détient sa part d'utilité. L'équilibre se trouve dans la variété et le risque dans la monotonie.

4. De quelles quantités avons-nous besoin?

A chaque minute nous brûlons des calories. Tous les jours nous perdons des protéines (par exemple, sous forme d'azote éliminé par les urines). Continuellement nous éliminons de l'eau (respiration, transpiration, urine, selles, etc.). Quels sont les besoins de notre organisme ?

Ils sont évidemment extraordinairement variables d'un individu à l'autre, suivant l'âge et la condition dans lesquelles il se trouve. On peut donner, cependant, pour un homme adulte de 70 kg ayant une vie relativement sédentaire, quelques ordres de grandeur :

CALORIES

Nous avons un besoin permanent d'énergie, et pour cela nous « brûlons » les calories contenues dans les sucres ou les graisses. Cette énergie sert :
☐ au maintien et à l'équilibre de la température du corps ;
☐ au bon fonctionnement de l'organisme (respiration, digestion, circulation) ;
☐ au soutien de tous les efforts de l'organisme (voir le tableau des « calories » dans le guide de l'anti-bouffe, p. 131).

> *Il faut donc entre 2 200 et 2 400 calories par jour à un homme adulte ayant une activité sédentaire – 1 800 à 2 000 pour une femme – 4 000 à 5 000 pour un sportif.*

Ces calories doivent provenir en proportions idéales des :

glucides pour environ 58 %
lipides pour environ 30 %
protides pour environ 12 %

Les glucides

autre nom : hydrates de carbone

Ce que c'est. Deux catégories

sucres complexes à assimilation lente

nom « savant » : polysaccharides
AMIDON : graines d'origine végétale
CELLULOSE : non assimilée par le corps humain
GLYCOGÈNE : stockage du glucose dans le foie

sucres simples et doubles à assimilation rapide

simple
GLUCOSE (le plus important)
FRUCTOSE (sucre des fruits, miel, légumes)

double
SACCHAROSE (sucre industriel de betterave ou de canne)
LACTOSE (sucre du lait)
MALTOSE (transformation de l'amidon)

Structure des sucres complexes

molécule géante (le glycogène du foie, par exemple, est composé de 110 000 molécules de glucose)

digestion   sucres simples
ou doubles

Rôle

réserve énergétique

Mise en réserve

par le foie (l'insuline permet l'utilisation du glucose et sa mise en réserve), ou stockage sous forme de graisses

Valeur calorique

en « brûlant » dans les réactions de l'organisme, les glucides libèrent *4 calories par gramme*

Où les trouve-t-on ?

sucres complexes à assimilation lente

blé, maïs, riz, pâtes, pain, céréales, tubercules, féculents, pommes de terre

sucres simples et doubles à assimilation rapide

saccharose *(sucre raffiné)*
lait *(lactose)*
miel *(fructose)*

Figure 22

Les lipides

autres noms : matières grasses, graisses

Ce que c'est. Deux catégories principales

graisses saturées

en majorité animales
BEURRE
SAINDOUX

graisses insaturées

en majorité végétales
HUILE DE GERME DE BLÉ
HUILE DE TOURNESOL

Structure

acides gras liés à des alcools (glycérol par exemple)

digestion   acide gras
(nutriment)

Rôle

réserve énergétique
transport des vitamines solubles (liposolubles)
vitamines A, D, E et K
les acides gras insaturés contribuent indirectement à l'élimination du cholestérol

Mise en réserve

tissus graisseux

Valeur calorique

en « brûlant » dans les réactions de l'organisme, les lipides libèrent *9 calories par gramme*

Où les trouve-t-on ?

graisses saturées généralement animales

lard, beurre, viandes grasses, charcuterie, pâté, huiles végétales : graisse de coco

graisses insaturées généralement végétales

huile de tournesol, huile de germe de blé, huile de maïs, soja, arachide

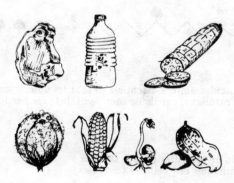

Figure 23

Les protides

autres noms : protéines, matières azotées

Ce que c'est. Deux catégories

protéines animales

viande, poisson, lait, œufs, fromage

protéines végétales

lentilles, pois, soja, pain, pâtes, riz

Structure

molécules géantes faites d'acides aminés attachés les uns aux autres comme les perles d'un collier

Il y a huit acides aminés essentiels (il faut les obtenir en permanence de l'extérieur, car ils ne sont pas fabriqués par le corps)

Rôle

construction et restauration des cellules
réaction chimique des cellules (enzymes)

Présence

dans les tissus du corps

Valeur calorique

en « brûlant » dans les réactions de l'organisme, les protéines libèrent *4 calories par gramme*

Où les trouve-t-on ?

protéines animales

poisson, œufs, fromages, crustacés, volaille, viandes, lait

protéines végétales

lentilles, pois, soja, riz, haricots blancs, pain, pâtes, germe de blé, noix, arachides, amandes

Figure 24

59

GLUCIDES

200 à 350 g par jour (soit l'équivalent de 1 kg de pommes de terre environ) fournissent l'énergie nécessaire. Nous avons également besoin de glucides non digestibles : cellulose, hémicellulose, pectine, lignine (voir le chapitre sur les fibres, p. 76).

Le sucre raffiné ne doit pas représenter plus de 10 à 15 % maximum de la ration calorique apportée par les glucides, soit 130 à 150 calories, ce qui équivaut à 34 à 38 g par jour ou six à huit morceaux de sucre. En fait, il ne nous faut pas plus de 12 à 15 g par jour (deux et demi à trois morceaux). Nous avons vu (p. 15) que l'on consommait en France 100 g par jour (36 kg/an), ce qui correspond à 400 calories par jour.

LIPIDES

Les 60 à 80 g nécessaires par jour et que l'on trouve dans un grand nombre d'aliments représentent l'équivalent de sept ou huit cuillerées à soupe d'huile ou dix cuillerées à café de beurre (les Français consomment 110 à 140 g de matières grasses par jour, soit 1 200 calories, la moitié des besoins quotidiens d'un citadin).

PROTIDES

Pour compenser les pertes quotidiennes en azote, les Organisations mondiales de la Santé (OMS, FAO) prescrivent un
apport de 0,47 g de protéines par kilo de poids *. Puisqu'il faut
assurer une marge de sécurité d'environ 30 %, le besoin du corps
est donc d'environ 0,60 g de protéines par jour. Il s'agit de
protéines utiles. En effet, la quantité de protéines fournie aux
cellules dépend de la *qualité* des protéines ingérées. Si les
protéines sont d'origine essentiellement végétale, leur « indice »
de qualité (par rapport à la protéine idéale, l'œuf $\simeq$ 100) n'est
que de 50, ce qui signifie schématiquement qu'il faudra en
manger deux fois plus pour subvenir aux besoins protéiques de
l'organisme. Pour la viande, les œufs ou le lait, l'indice est
d'environ 75.

Apport en protéines animales

100 g de viande $\simeq$ 100 g de poisson $\simeq$ 3 œufs $\simeq$
1/2 l de lait $\simeq$ 80 g de gruyère.

Si on ne s'alimentait chaque jour qu'à une seule source de
protéines (ce qui serait évidemment très dangereux) le tableau
de la page 62 indique quel serait l'équivalent en protéines des
différents aliments.

* Ces normes ont été critiquées. Certains nutritionnistes les jugent aujourd'hui
insuffisantes. Ils prescrivent 0,8 à 1 g de protéines par kilo de poids.

si vous pesez 58 kg
pour satisfaire un besoin quotidien de 35 g de protéines utilisables

VOUS AVEZ BESOIN DE

200 g de viande	*ou*	235 g de poisson	*ou*	5 verres de lait	*ou*	6 œufs	*ou*	360 g de pois	*ou*	390 g de noix

VOUS AVEZ BESOIN DE

250 g de viande	*ou*	280 g de poisson	*ou*	6 verres de lait	*ou*	7 œufs	*ou*	425 g de pois	*ou*	406 g de noix

pour satisfaire un besoin quotidien de 42 g de protéines utilisables
si vous pesez 70 kg

Figure 25

Ce qui est important, c'est la qualité des protéines et le fait de manger les huit acides aminés essentiels. Simultanément. Pour le moment, sachons que la variété suffit, mais nous verrons par la suite l'importance de la complémentation des protéines les unes par les autres (voir p. 83).

EAU

Un homme de 70 kg élimine quotidiennement, dans des conditions climatiques normales, près de 1 *l* d'eau par les urines, et encore 0,5 à 1 *l* par la respiration, la transpiration et les selles. Il lui faut donc au moins 2 *l* d'eau par jour, dont la moitié est apportée par les boissons, l'autre moitié par l'eau contenue dans les aliments ou résultant de leur combustion interne. Il est recommandé de boire de huit à dix verres d'eau par jour.

VITAMINES ET MINÉRAUX

Les vitamines solubles dans l'eau sont la vitamine C et celles du groupe B.

Les vitamines solubles dans l'huile sont les vitamines A, D, E, K et F.

On indique souvent, sur les emballages des aliments dans certains pays, ou dans les traités de diététique, les minima nécessaires par jour en vitamines A, C, E ou vitamines du groupe B. Ainsi que les besoins en fer, magnésium, iode, calcium, phosphore, etc.

Nous ne voulons pas, ici, proposer de tableaux compliqués. Pour manger en proportions convenables vitamines et minéraux il faut *varier* les aliments : manger des fruits frais (vitamine C), des fruits séchés (sels minéraux), des légumes (vitamine C), du poisson (iode, phosphore), des produits laitiers (calcium), des céréales complètes (vitamines B, vitamine E), des lentilles et des haricots (fer), etc.

Et si l'on veut ajouter un apport de vitamines à son alimentation, les plus recommandées sont souvent la vitamine C et la vitamine E.

Que fait-on des calories?

1 heure de promenade
à pied 200 cal.

1 heure de jogging
350 cal.

8 heures assis au bureau
450 cal.

activités de bureau
3 heures de marches 450 cal.

8 heures de sommeil
500 cal.

2 heures de tennis
600 cal.

3 heures de ski alpin
1 000 cal.

2 heures de football
1 500 cal.

Figure 26

5. Que fait-on des calories?

On consomme environ 200 calories pour maintenir la chaleur du corps, 200 calories pour assurer les fonctions internes (digestion, respiration, circulation), 250 à 400 calories pour les mouvements (efforts). Par ailleurs, quel que soit le travail, on consomme environ de 1 300 à 1 600 calories pour assurer ce que l'on appelle le métabolisme basal, soit un total de 2 000 à 2 400 calories par jour pour une personne ayant une activité relativement sédentaire.

Calories dépensées par heure

vie sédentaire
bureau, lecture, couture, conduite auto : 30 à 50 cal.

exercice léger
promenade lente, déplacement normal : 50 à 100 cal.

exercice soutenu
marche, promenade à vélo, monter les escaliers : 100 à 200 cal.

effort musculaire
tennis, natation, ski, jogging, danse, travaux agricoles : 200 à 500 cal.

effort violent
compétition, natation, football, marathon, aviron, déménagement : 500 à 1 000 cal.

Figure 27

ATTENTION, DANGER : LES CALORIES « VIDES »

Certaines calories sont néfastes pour la santé. Les nutritionnistes les appellent calories « vides » ou calories bancales. Pourquoi? Parce qu'il leur manque les sels minéraux, les vitamines, les fibres cellulosiques qui facilitent leur assimilation et sont des compléments indispensables, compte tenu de l'important apport calorique des sucres et des graisses. C'est ainsi que le rôle d'apport des vitamines et des minéraux essentiels est réduit à un nombre diminué d'aliments. Les principales sources de calories vides sont le sucre, les graisses et l'alcool, bien qu'on ne puisse pas le considérer comme un aliment (la combustion interne des sucres libère 4 calories par g, celle des lipides 9 calories par g, quant à l'alcool, il libère 7 calories par g).

Aujourd'hui, dans une journée à 3 000 ou 4 000 calories, les graisses représentent la moitié de l'apport des 2 400 calories recommandées. Tandis que les sucres et le vin représentent probablement la majeure partie de l'autre moitié. Tout ce qui est absorbé en plus est en trop et s'accumule sous forme de graisse excédentaire dans l'organisme.

Voici quelques exemples de calories « vides » :

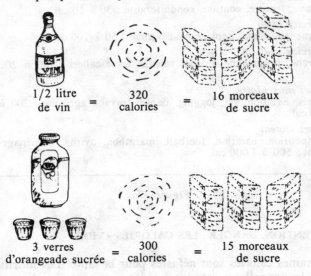

1/2 litre de vin = 320 calories = 16 morceaux de sucre

3 verres d'orangeade sucrée = 300 calories = 15 morceaux de sucre

Figures **28** *et* **29**

66

DES IDÉES SIMPLES
POUR MIEUX VIVRE

Ces quelques règles tiennent compte des directives édictées aux États-Unis par la commission McGovern (voir p. 39). Elles s'appuient également sur les recommandations françaises (Comité français d'éducation pour la santé). On les reprendra plus en détail afin de les faire entrer dans la pratique quotidienne (voir p. 97).

IMPORTANT

Ces règles simples d'une diététique pour mieux vivre ne constituent pas un régime contraignant. Parfois, chez des amis, au restaurant, on peut manger ce que l'on veut.

L'important, c'est de les suivre la majeure partie du temps, les deux repas les plus propices à l'application de ces règles étant le petit déjeuner et, généralement, le dîner. Au restaurant, on peut également sélectionner ce que l'on sait être bon pour soi sur les menus.

Il s'agit donc d'un choix alimentaire, d'un mode de vie raisonné, d'une alimentation sélective. C'est ça, l'anti-bouffe.

---

1. Modifiez quelque peu
vos sacro-saintes habitudes

MANGEZ PLUS SOUVENT

Remplacez deux repas lourds par trois repas légers (petit déjeuner, déjeuner, dîner) et si nécessaire deux ou trois snacks (11 h, goûter, souper).

MANGEZ MOINS COPIEUSEMENT

Les trois repas ne doivent pas dépasser 600 à 800 calories ; les trois snacks, 50 à 100 calories.

MANGEZ VARIÉ

Les tableaux des besoins en minéraux et vitamines sont compliqués et difficiles à comprendre.

Les acides aminés essentiels doivent être assimilés *simultanément*. Les minéraux doivent s'équilibrer, mais l'on ne se souvient jamais dans quels aliments les trouver.

Il existe plus de cinquante nutriments différents.

Conclusion : mangez *varié*. Vous trouverez ce qu'il vous faut dans tous les aliments de base.

Une des plus graves erreurs est la monotonie et la préférence pour les mêmes aliments (surtout chez ceux qui veulent faire des régimes).

RESPECTEZ LES PROPORTIONS

Les calories doivent venir principalement : des glucides (58 à 60 %), des lipides (30 %), des protéines (10 à 12 %).

MANGEZ LENTEMENT

2. Ce qu'il faut éviter ou réduire très sérieusement

Le sucre raffiné
Caché (sucreries, confiseries, glaces, boissons sucrées).

Apparent (sucre en morceaux ou en poudre : fraises sucrées, yaourts sucrés, etc.). Voir le chapitre spécial « sucre », p. 87.

Les graisses

Viandes de boucherie, charcuteries, beurre, lait entier. Voir le chapitre spécial « viandes », p. 92.

Attention au cholestérol (trop d'œufs, trop d'abats). Voir le tableau du contenu en cholestérol d'aliments courants à la fin de ce livre.

Le sel

Jus de tomate salé, snack-food, crackers, sel fin, radis salés, olives en conserve.

Les farines raffinées

Farine blanche, riz blanc.

Et évidemment, encore et toujours, l'alcool, le tabac, trop de café ou de thé.

3. Ce qu'il faut consommer en proportion suffisante

Les céréales et les féculents (voir le chapitre spécial « végétaux », p. 83).

Les légumes verts et les fruits frais.

Les aliments riches en fibres cellulosiques (son). Voir le chapitre spécial « fibres », p. 76.

Les vitamines et sels minéraux.

L'eau.

Les tableaux suivants donnent quelques exemples des aliments à rechercher et des aliments à éviter. Bien entendu, il ne s'agit pas de s'en priver systématiquement, mais plutôt d'être prudent la plupart du temps.

Aliments à réduire

(et si possible à éviter *)

TROP SUCRÉS

boîtes de chocolats, pâtisseries, glaces*, sirops,
jus de fruits, chocolats*, sucre en morceaux,
bonbons*, fruits au sirop, pâtes de fruits*,
sucre d'orge, confitures, miel, alcool

TROP GRAS

beurre*, huile, pâté*, viande de porc,
saindoux*, lait entier, pâté de foie gras,
avocats vinaigrette, crèmes, sauces,
beurre d'arachide, saucisson, rillettes*
saucisses, boudin, biscuits, crème glacée,
frites*

Aliments à réduire

(et si possible à éviter *)

TROP RICHES EN CHOLESTÉROL

plus de 7 œufs par semaine*, crabe, beurre,
cervelle*, foie, rognons, ris de veau, huîtres

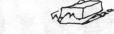

TROP SALÉS

biscuits salés, jus de tomate, potages tout prêts,
potages préparés, chips*, crackers, cacahuètes salées*, jambon
salé, bacon, radis + sel, ajouter du sel

TROP RAFFINÉS

pain blanc à toaster, riz blanc, pâtes blanches, pizzas,
pain blanc, petits pains, croissants

Figure 30

Aliments à rechercher

(et en particulier *)

CÉRÉALES, FÉCULENTS, LÉGUMES

pomme de terre, pain complet, riz complet,
semoule de blé, gruau, orge, flocons d'avoine,
sarrazin, pilpil de blé

sucres à assimilation lente, tous les légumes
haricots, choux, épinards*, maïs, carottes*, oignons*,
choux de Bruxelles*

PROTÉINES ANIMALES ET VÉGÉTALES

mélange de légumes secs plus céréales
riz et lentilles*, maïs et petits pois, semoule
(couscous) et pois chiche, œufs, poulet,
volaille, viandes nature, poisson*,
veau, sardines déshuilées, lait écrémé*, yaourts*,
fromages, graines de tournesol, graines de sésame*,
haricots, fèves, noisettes, amandes, cacahuètes

72

Aliments à rechercher

(et en particulier *)

FIBRES CELLULOSE

son moulu*, ou en paillettes, pain de son,
pain complet*, figues sèches, blé complet,
céréales complètes, lentilles, haricots, pois secs,
bananes, salades, légumes

VITAMINES, MINÉRAUX, SUCRE NATIF

champignons, levure de bière*, lait*, fruits frais
(poires, pommes, bananes, raisin*, oranges*, pamplemousse),
légumes verts (haricots verts, poireaux, céleris, endives, épinards),
fruits secs (figues, dattes, abricots secs*, raisins secs*, amandes, noisettes)

Figure 31

La journée de Monsieur Bouftrop

8 h PETIT DÉJEUNER

    1 café avec 2 sucres
    2 toasts (pain blanc avec beurre et confiture)

11 h 2 cafés avec 2 sucres

13 h DÉJEUNER

    apéritif avec olives et biscuits salés
    assiette de charcuterie (cochonnailles et crudités)
    steak au poivre, frites à l'huile
    glace au chocolat
    1/2 litre de vin
    café avec 2 sucres
    liqueur

17 h 1 café avec deux sucres

18 h COCKTAIL

    2 whiskies
    10 amandes salées
    10 noisettes
    5 chips
    6 biscuits salés
    4 olives

20 h DÎNER-BUFFET

    1 avocat
    macédoine de légumes avec mayonnaise
    assiette froide (jambon, rôti froid)
    salade
    tarte aux pommes
    1/2 litre de vin
    1 café avec 2 sucres

Total des calories de la journée : 4 770 calories
(le double de ce qui est nécessaire)

Figure 32

La journée de Monsieur Boufjust

8 h PETIT DÉJEUNER

    1 tasse de flocons d'avoine avec du lait demi-écrémé
    1 yaourt avec des raisins secs
    1 tartine de pain complet avec du gruyère
    2 mandarines
    1 verre de lait demi-écrémé

11 h SNACK

    1 jus de fruits nature non sucré
    5 noisettes
    2 ou 3 abricots secs

13 h DÉJEUNER

    1 aile de poulet au riz
    salade mélangée
    2 tranches de pain complet
    1 verre de lait demi-écrémé
    1 banane

17 h SNACK

    thé au lait
    3 biscuits

20 h DÎNER

    potage aux légumes
    filet de sole meunière
    macédoine de légumes cuits
    fruits
    eau
    2 tranches de pain complet

22 h SNACK-SOUPER

    1/2 verre de lait
    raisins secs
    gruyère

Total de la journée : 2 315 calories

Figure 33

Pourquoi
ces quelques efforts?

La société est composée de deux grandes classes : ceux qui ont plus de dîners que d'appétit et ceux qui ont plus d'appétit que de dîners.
Chamfort

CE QUI EST BON POUR VOUS

Les fibres alimentaires

1. *Que sont les fibres alimentaires?*

Contrairement à ce que l'on pourrait penser, les « fibres » alimentaires sont invisibles à l'œil nu. Il ne s'agit donc pas des « fils » des haricots verts ou des « fibres » que l'on aperçoit dans les poireaux ou les asperges. Les fibres alimentaires sont de longues molécules chimiques appartenant principalement aux parois des cellules végétales, et que notre organisme (à la différence de celui des ruminants, par exemple) n'est pas en mesure de digérer. Les substances chimiques qui constituent ces importantes fibres alimentaires sont au nombre de quatre : la cellulose, l'hémicellulose, la pectine, la lignine.

Jusqu'à présent, une certaine confusion existait chez les nutritionnistes quant à la définition exacte des fibres alimentaires et à la distinction entre fibres alimentaires et fibres brutes. La définition la plus largement acceptée est celle qui a été récemment proposée par David Southgate (Cambridge, UK) et Peter Van Soest (Cornell, USA).

> *Les fibres alimentaires sont constituées par certains composants des végétaux, non affectés par les sécrétions de l'intestin grêle, et qui passent, sans avoir été digérées, dans le gros intestin.*

Le produit végétal qui contient la plus grande quantité de fibres brutes pour 100 g est le son de blé.

2. *Pourquoi les fibres alimentaires sont-elles aussi importantes pour l'organisme?*

Par le passé, les nutritionnistes sous-estimaient l'importance des fibres alimentaires. On pensait qu'elles jouaient un faible rôle dans la nutrition et dans les grandes fonctions de l'organisme parce qu'elles ne sont pas digérées.

Aujourd'hui, à côté des éléments nutritifs essentiels provenant des glucides, lipides ou protides, il faut ajouter les fibres. La découverte de l'importance et de l'intérêt des fibres est due principalement aux travaux de scientifiques anglo-saxons, à la tête desquels Denis P. Burkitt, Peter Van Soest et H.C. Trowell.

Ces chercheurs ont remarqué (grâce à des études épidémiologiques approfondies, et aidés par des statistiques à l'échelle mondiale) la très faible survenue, chez les habitants de certains pays en voie de développement, de « maladies de civilisation ». Lesquelles frappent pourtant un très grand nombre de sujets dans les pays industrialisés. L'alimentation, aussitôt incriminée, est alors apparue comme un des facteurs déterminants, capables d'expliquer de telles différences. Certes, établir une corrélation n'est pas démontrer une relation de cause à effet. Mais un des éléments significatifs est la richesse en fibres de l'alimentation des habitants des pays en voie de développement. Le tableau ci-dessous indique les fréquences de certaines maladies, ainsi que la durée du transit intestinal, chez deux populations caractérisées par une alimentation pauvre en fibres (Occidentaux) et une alimentation riche en fibres (Africains).

Type de régime alimentaire
pays développés / africains-asiatiques

type de maladies	graisses, sucres, produits raffinés *(pauvres en fibres)*	céréales, légumes *(riches en fibres)*
maladie diverticulaire du côlon (diverticulite)	*Très fréquent*	*Très rare*
hémorroïdes	–	–
varices	–	–
appendicite	–	–
constipation	–	–
calculs biliaires	–	–
cancer du côlon	–	–
transit intestinal (durée moyenne)	80 heures (3 jours 1/2)	35 heures (1 jour 1/2)

Figure 34

3. Quelle est l'action des fibres?

Les fibres ont des propriétés très importantes :
- Elles absorbent l'eau (jusqu'à cinq fois leur poids).
- Elles accroissent le volume des selles (éliminent la constipation).
- Elles accélèrent le transit intestinal.
- Elles permettent d'éliminer le cholestérol et certains sels biliaires.
- Elles diminuent la quantité de glucose et d'acides gras dans le sang.
- Elles absorbent les ions positifs.
- Elles aident à éliminer certaines substances cancérigènes ou cocancérigènes.

- Elles procurent un milieu favorable au développement de certaines bactéries du côlon. (Ces bactéries produisent des substances utiles pour l'organisme. Elles sont également capables de détoxifier des agents cancérigènes. En créant un milieu acide, elles évitent les selles putrides.)
- Enfin, elles réduisent la quantité d'aliments ingérés en donnant une impression de satiété.

Leur inconvénient est d'éliminer plus rapidement certains sels minéraux (fer, zinc, calcium). Cette perte doit être compensée par une alimentation bien équilibrée en minéraux. D'autre part, les fibres contiennent de l'acide phytique qui peut présenter certains inconvénients pour l'organisme.

Ce qui se passe quand on ajoute des fibres à l'alimentation

SOURCE DE FIBRES		*accroissement du poids des selles*	*accroissement du transit intestinal*
son	 SON	+ 127 %	+ 42 %
chou		+ 69 %	+ 20 %
carotte	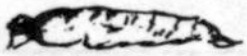	+ 59 %	+ 17 %
pomme		+ 40 %	+ 14 %

Figure 35

4. *Où trouve-t-on les fibres alimentaires?*

Le produit végétal le plus riche en fibres brutes est le son de blé.

Les tableaux ci-dessous indiquent les sources les plus commodes de fibres alimentaires.

Quelques aliments riches en fibres

	aliments	poids de fibres brutes *
	blé complet céréales complètes	2 g
	haricots lentilles	3 à 5 g
	figues sèches	11 g
	mendiants raisins secs noisettes amandes	12 g
	son de blé son	10 à 14 g

* Pour 100 g d'aliment

Figure 36

Le tableau ci-contre compare les sources les plus commodes pour trouver la ration quotidienne recommandée de fibres brutes (6 à 8 g, c'est-à-dire de 30 à 40 g de fibres alimentaires).

Sources les plus commodes

pour obtenir les quantités recommandées
de fibres alimentaires quotidiennes

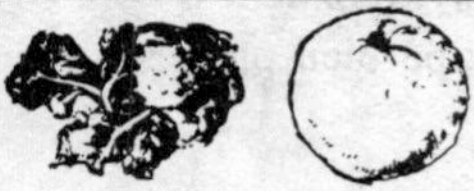

		fibres brutes %	quantités nécessaires pour obtenir 22 g de fibres alimentaires *
son de blé pur		9,2	63 g
son conditionné		9	67 g
pain complet		3,3	130 g
épluchures de pommes de terre		1,8	292 g
chou		0,7	2 kg environ
pommes de terre épluchées		0,1	2 kg environ
chou-fleur		0,9	2 kg environ
carottes		0,6	2 kg environ
pomme		0,4	2 kg environ
laitue		0,6	2,5 kg
céleri		0,7	3 kg
orange		0,7	4,5 kg

* Environ 6 g de fibres brutes par jour

Figure 37

5. *Combien nous faut-il de fibres par jour?*

Il est recommandé d'absorber (sous différentes formes) une quantité de fibres brutes équivalent à 6 à 8 g par jour.

Aujourd'hui, le régime alimentaire des habitants des pays développés, riche en produits raffinés, fournit moins de 1 g de fibres brutes par jour.

6 à 8 g par jour de fibres brutes correspondent à
35 à 40 g de son soit 3 cuillères à soupe bien pleines

ou 10 tranches de pain au son (3 g par tranche)
ou 200 g de pain complet (12 à 15 tranches)
Figure 38

Évidemment on peut combiner ces différents apports sous la forme d'une cuillère de son dans les céréales du matin, (semoule, flocons d'avoine ou muesli), deux ou trois tranches de pain au son, et un aliment riche en fibres tel qu'un plat de lentilles, des pommes, des figues séchées, etc.

Il est recommandé de consommer les fibres dans les aliments naturels car leurs constituants se renforcent et se combinent (pain complet, céréales complètes, fruits lavés avec la peau – surtout les pommes, riches en pectine). A défaut, on peut ajouter du son à l'alimentation ou consommer des galettes au son. Le son en paillettes est plus efficace et préférable au son moulu (meilleure absorption d'eau).

6. *Où trouver les produits riches en son?*

Voir les produits à acheter dans le guide de l'anti-bouffe.

82

Les végétaux
céréales, légumes, fruits

1. *Pourquoi faut-il manger des végétaux?*

Le mode d'alimentation qui caractérise l'anti-bouffe est en grande partie *lacto-ovo-végétarien,* bien qu'il n'exclue pas le poisson et les volailles et de temps en temps la viande. Il faut apprendre à être végétarien en alternance avec le régime normal (voir la différence entre régime *végétarien, végétalien, macrobiotique,* dans le guide de l'anti-bouffe, à la fin de l'ouvrage).

Les végétaux contiennent des vitamines, des sels minéraux, des fibres alimentaires, et surtout, pour certains, des protéines.

Les protéines végétales sont excellentes pour peu que l'on connaisse les quelques secrets de leur association permettant d'en accroître la qualité. De plus, elles ne nécessitent pas l'ingestion de quantités importantes de graisse (un bifteck ne contient que 20 à 30 % environ de protéines utilisables; le reste est principalement constitué par du tissu conjonctif, des graisses saturées et de l'eau).

Les protéines végétales sont déficientes en certains acides aminés essentiels (par exemple en lysine ou en méthionine). Mais les associations de protéines végétales permettent de conduire à une richesse et à une qualité en protéines parfois supérieure aux protéines de la viande, bien que chaque groupe de végétaux possède son acide aminé limitant.

C'est ce qu'on appelle la « complémentation », car ce terme introduit la notion de complémentarité, de combinaison de moyens et de *synergie* : « Le tout est plus que la somme de ses parties. » La qualité est plus importante que la quantité.

2. *La complémentation, qu'est-ce que c'est?*

C'est le secret d'un régime alimentaire riche en végétaux. Beaucoup de partisans du végétarisme ou du végétalisme l'ignorent et se tuent à petit feu en ne mangeant que des céréales, des salades, des crudités ou des fruits. Pourtant, tous les peuples de la terre connaissent depuis des millénaires les avantages de la complémentation reflétée dans la composition des plats traditionnels : riz et lentilles (Inde); couscous (semoule de blé) et pois chiches (Afrique du Nord); maïs et garbanzos-haricots (Mexique); céréales et lait (États-Unis); polenta, maïs et pois secs (sud des États-Unis).

Les secrets de la complémentation

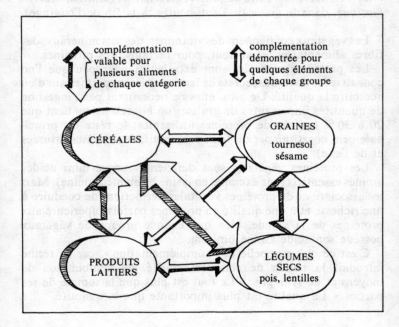

Figure 39

84

3. *La complémentation, comment ça marche?*

Pour le comprendre, il faut d'abord connaître trois éléments importants :

- Il existe *huit acides aminés essentiels* (parmi les vingt à vingt-trois qui constituent les protéines); et notre corps ne sait pas les fabriquer. Nous devons donc les obtenir en permanence des protéines que nous mangeons. Il s'agit de l'isoleucine, de la lysine, de la méthionine, de la phénylalanine, de la thréonine, du tryptophane et de la valine.

- Il faut consommer ces acides aminés essentiels *simultanément* et dans les proportions requises pour pouvoir construire les protéines de notre corps. (Aussi étonnant que cela puisse paraître, consommer des protéines comprenant seulement quatre des huit acides aminés essentiels *un matin* et les quatre autres *le lendemain* n'a pas d'effet.)

- Si l'un d'entre eux est en quantité insuffisante (facteur limitant), il diminue la qualité de l'ensemble de la protéine. En effet, les autres acides aminés ne peuvent pas contribuer à la fabrication des protéines du corps : leur azote est éliminé par la voie urinaire, sans avoir pu servir à autre chose qu'à produire de l'énergie. Ce qui est vraiment dommage pour des protéines *.

Les protéines végétales sont déficitaires en certains acides aminés essentiels; cela limite les possibilités d'utilisation des autres acides aminés dans la synthèse de nos propres protéines.

Si, par exemple, on mange une protéine déficiente en lysine (– 70 %), et que les sept autres acides aminés essentiels atteignent 100 % de la protéine de référence (albumine de l'œuf)... eh bien, 70 % de ces acides aminés seront gâchés : tout se trouve ramené à 30 %.

En revanche, si l'on combine cette protéine avec une autre, riche en acide aminé n° 4 et pourtant déficiente dans tous les

---

* Un exemple très frappant emprunté au Pr H. Bour permet d'illustrer la notion de facteur limitant : avec huit drapeaux bleus, huit blancs et huit rouges, on peut fabriquer huit drapeaux bleu blanc rouge. Cependant, avec autant de drapeaux bleus et blancs, mais seulement deux drapeaux rouges (facteur limitant), on ne pourra fabriquer que deux drapeaux tricolores.

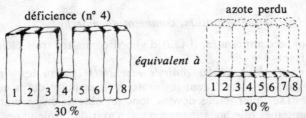

autres, on comble le déficit et on obtient une protéine voisine de la composition idéale.

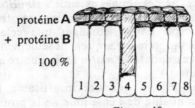

Figure 40

Ainsi, le maïs seul est pauvre en lysine et relativement riche en méthionine, tandis que les haricots seuls sont riches en lysine et relativement pauvres en méthionine. En mangeant *en même temps* du maïs et des haricots, on compense les déficiences.

Un exemple simple

MANGÉS SÉPARÉS
1/2 tasse de haricots   *sont équivalent en protéines utilisables à*
ou 2 tasses de maïs   57 g de viande hachée
                         42,5 g de viande hachée
                         soit 99,5 g de viande hachée

MANGÉS ENSEMBLE
1/2 tasse de haricots   *constituent un accroissement de* 50 %,
mélangée   soit 142,8 g de viande hachée
à 2 tasses de maïs   (25 % seulement de la viande représen-
                         tent des protéines utilisables)

Figure 41

86

CE QUI PEUT ÊTRE NOCIF

Le sucre et ses effets

1. *Origine et histoire du sucre*

Pendant des millénaires, l'humanité a vécu en tirant son énergie biologique de glucides complexes à assimilation lente, extraits des céréales et principalement de l'amidon (riz, blé, maïs, manioc et dérivés : pain, polenta, pâtes, couscous, etc.). Les sucres simples provenant, eux, des fruits ou du lait (fructose, lactose).

Le saccharose, sucre raffiné (sucre de table, en poudre ou en morceaux), est un produit industriel récent, inconnu de l'organisme. C'est un des seuls aliments absorbés sous une forme chimiquement pure, ne nécessitant pratiquement aucune transformation : en *dix-huit minutes* tout le sucre raffiné ingéré se retrouve dans le sang (on en verra les effets).

Le sucre raffiné a été introduit au VIIe siècle par les Perses qui commencèrent à cultiver la canne à sucre. Reprise par les Turcs et les Arabes au XIVe siècle, cette culture vient en Europe avec les Croisés. Le véritable essor du sucre industriel date de 1700 environ, avec les plantations de canne des colonies, et de l'Empire, à partir de 1812, avec l'extension des cultures de betterave pour la production sucrière.

2. *La consommation du sucre pur en France et dans le monde*

Nous pouvons, sans trop de risque, absorber au maximum de 15 à 35 g de sucre par jour (l'équivalent de six ou sept morceaux de sucre). En effet, notre apport calorique quotidien de 2 400 calories doit être représenté pour plus de la moitié de glucides (55 à 58 %), soit environ 1 200 à 1 300 calories. Le sucre pur ne devrait pas dépasser 10 % de cet apport calorique, soit 120 à 139 calories, ce qui signifie 130 : 4 = 32 g de sucre par jour. Or, nous avons vu que l'on consommait en France près de 100 g par jour et par habitant, soit 36 kg par an.

La consommation de sucre s'est accrue de 10 % par an en France ces dernières années (doublement tous les sept ans). Elle est égale depuis 1975 pour ce qui concerne le sucre « visible ». La production suit dans le monde :
- *Fin du XVIIIe s.* : quelques dizaines de milliers de tonnes.
- *1900*   : 8 millions de tonnes
- *1950*   : 30 millions de tonnes
- *1970*   : 70 millions de tonnes
- *1980*   : 93 millions de tonnes (estimation)

Le sucre se présente la plupart du temps sous forme de sucre invisible ou de sucre caché, dans les boissons sucrées, sodas, etc. (entre 50 à 120 g de sucre par litre, soit dix à vingt morceaux de sucre par litre), les conserves (une boîte de petits pois de 900 g contient 40 g de sucre : huit morceaux de sucre), dans les glaces, les gâteaux, les confitures, les biscuits, les petits déjeuners préparés (cornflakes).

3. *Les dangers du sucre*

Pourquoi est-il nocif pour certains individus ? Nous n'avons pas besoin d'ajouter du sucre à notre alimentation : il y en a partout (pain, pâtes, fruits). La recherche du goût du sucré serait innée. Pour d'autres, elle résulterait d'un conditionnement social et culturel, probablement aussi psychanalytique. La mère s'attacherait l'enfant en se présentant comme la seule source autorisée de sucreries. L'enfant est souvent puni pour avoir dérobé des confitures.

Le sucre pur en quantité excessive peut être dangereux, car il dérègle les délicats mécanismes de régulation permettant de stocker et de « brûler » les sucres simples. Ce dérèglement favorise l'embonpoint (stockage de sucre sous forme de graisse par l'intermédiaire du foie), le diabète (mauvaise réponse de la production d'insuline par le pancréas) et fatigue les cellules du pancréas. Pourquoi et comment ?

Que se passe-t-il quand nous consommons un morceau de pain (sucres complexes à assimilation lente), ou un morceau de sucre (sucre simple à assimilation ultra-rapide)?

Pain

1. Les longues chaînes d'amidon sont coupées, lors de la digestion, en sucres simples (glucose).

2. Ces sucres sont libérés *peu à peu* dans le sang (en quelques heures et de manière étalée dans le temps).

3. L'insuline n'est produite par le pancréas qu'au fur et à mesure de l'arrivée du sucre dans le sang.

4. L'insuline aide à stocker le glucose dans le foie, sous forme de glycogène, pour une utilisation ultérieure.

5. Ce mécanisme résulte de *millions d'années* d'évolution. La quantité d'insuline et d'acides gras dans le sang se maintient à un niveau optimal « inventé » par l'évolution biologique.

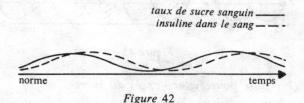

taux de sucre sanguin _____
insuline dans le sang — — —

norme   temps

Figure 42

Sucre

1. Les petites molécules de sucre se déversent rapidement dans le sang (dix-huit à vingt minutes) sous forme de glucoce.

2. L'arrivée du sucre se fait massivement, comme un torrent qui stimule une forte et rapide production d'insuline par le pancréas (pic d'insuline).

3. La quantité d'insuline circulant dans le sang est alors trop forte. Son niveau monte trop haut. Le sucre est rapidement stocké et brûlé, mais l'action de l'insuline est *trop efficace*. Le niveau de sucre dans le sang baisse au-dessous de la normale : c'est l'état d'hypoglycémie.

4. Cet état se caractérise par des symptômes bien connus : le « coup de pompe » de 11 h : fatigue, dépression, manque de concentration, pouvant entraîner des accidents du travail ou de la circulation (et l'envie de fumer).

5. En état d'hypoglycémie, on recherche du sucre ou du café, lequel a pour effet de libérer le glycogène du foie et de donner un « coup de fouet » immédiat par action indirecte de l'adrénaline et le déversement de sucre dans le sang. Il se constitue un cercle vicieux dangereux. Une dépendance, comme pour une drogue. Paradoxalement, consommer du sucre pur conduit à diminuer le taux de sucre dans le sang et... à en reprendre.

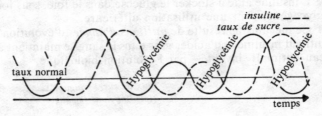

Figure 43

4. *Que faire pour éviter l'excès du sucre?*

Évitez d'en ajouter trop à l'alimentation.

Mettez de moins en moins de sucre dans les boissons, les yaourts, les fruits.

Essayez de le supprimer totalement (on s'y habitue assez vite).

Sucrez si vous le souhaitez avec des raisins secs (yaourts), du miel (moindre mal!) ou de la mélasse.

Évitez l'alcool et certains aliments très sucrés (voir les aliments à éviter, p. 70).

Le sucre peut être dangereux : il déséquilibre l'alimentation

Le sucre fournit des calories vides ou « bancales », comme d'ailleurs les graisses (9 calories par g) ou l'alcool (7 calories par g). C'est une source d'énergie pure sans aucun apport en protéines, sels minéraux ou vitamines, dont certaines, comme la vitamine B1, sont justement essentielles pour assimiler le glucose. En obtenant plus de la moitié de notre apport calorique quotidien à partir de calories vides (fournies notamment par les graisses, les sucres et l'alcool), nous devons nous rattraper sur quelques catégories d'aliments seulement pour obtenir la quantité indispensable de vitamines, acides aminés essentiels et sels minéraux dont notre corps a besoin.

C'est pourquoi, si l'on tient tout de même à manger un peu de sucre, mieux vaut ajouter du miel à son yaourt; ou mieux de la mélasse, plutôt que du sucre blanc (comme le montre le tableau ci-dessous)

Quantité de minéraux et de vitamines

	sucre blanc pur	miel	mélasse
MINÉRAUX *			
calcium	0	5	684
phosphore	0	6	84
fer	0,1	0,5	16,1
potassium	3	51	2927
sodium	1	5	96
VITAMINES			
thiamine (vit. B1)	0	traces	0,11
riboflavine (vit. B2)	0	0,04	0,19
niacine (vit. B3)	0	0,3	2

* En mg dans 100 g de sucre, miel et mélasse

Figure 44

Le sucre peut être dangereux : il favorise certaines affections

Le diabète (au quatrième rang des maladies en France : 800 000 à 1 000 000 de diabétiques en 1979 – 7 % des hommes après cinquante ans).

La cécité (rétinopathie diabétique).

L'embonpoint et l'obésité.

Les caries dentaires, gingivites, pyorrhées.

L'épuisement graduel des cellules produisant l'insuline (affections du pancréas).

CE QUI PEUT ÊTRE NOCIF

L'excès de viande

1. *Manger trop de viande peut être dangereux pour la santé*

Beaucoup d'habitants des pays développés mangent de la viande de boucherie *deux fois par jour*. Laissons de côté le coût de ces protéines dans le budget familial. Il faut savoir qu'un excès de viande peut conduire à un déséquilibre alimentaire et à de nombreux troubles métaboliques.

Certes, les protéines de la fibre de viande sont d'une quantité excellente et très riches en lysine.

Certes, la viande et les graisses grillées ont une odeur et un goût bien agréables.

Mais la viande contient des graisses animales saturées, dont le rôle dans les maladies cardio-vasculaires et cérébro-vasculaires est irréfutable (10 à 40 % de graisses, selon les morceaux et les animaux). Le poisson contient beaucoup moins de graisse (1 à

12 %). Les volailles, également, sont pauvres en graisse (4 %).

La viande est riche en cholestérol.

Certains cancers du côlon et du sein ont été mis en relation avec la surconsommation de viande et de graisse dans les pays développés.

2. Manger trop de viande conduit à accroître la consommation d'énergie par la société

En effet, pour produire de la viande de bœuf, il faut des aliments pour le bétail, des pâturages. Donc des terres cultivées, des tracteurs, des engrais et de l'énergie.

Le bœuf est une très mauvaise machine à fabriquer des protéines. Le rendement total de la chaîne est faible.

rendement total 0,05 %

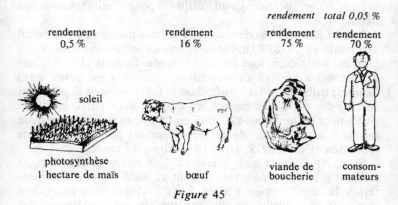

| rendement 0,5 % | rendement 16 % | rendement 75 % | rendement 70 % |

soleil

| photosynthèse 1 hectare de maïs | bœuf | viande de boucherie | consommateurs |

Figure 45

Si l'on considère la chaîne illustrée par le schéma ci-dessus : soleil – maïs – bœuf – homme, le rendement de conversion des photons solaires en énergie chimique renfermée dans les graines de maïs, par exemple, est de 1 % à 0,5 %.

Le rendement de la transformation du maïs en protéines de bœuf est inférieur à 20 % (il faut 16 kg d'aliments pour le bétail pour produire 1 kg de protéines de bœuf)

Il faut 10 calories végétales pour 1 calorie animale.

Le rendement de la conversion du bœuf en viande de boucherie est faible. En effet, 25 % des graisses sont éliminés car impropres à la consommation.

Enfin, le rendement de la conversion des protéines de bœuf par l'alimentation est de l'ordre de 70 % (voir p. 58).

Obtenir la majorité des protéines alimentaires par la consommation de viande conduit les pays développés à un gâchis inacceptable d'énergie et de travail humain. Il s'agit d'un luxe qu'on ne pourra bientôt plus s'offrir.

Aux États-Unis, en 1978, le bétail a consommé six fois la quantité de protéines recommandée pour les humains.

90 % de toute la récolte de maïs, de seigle, d'avoine, de soja sont consacrés, aux États-Unis, à nourrir le bétail. Dans la plupart des grands pays développés, les 2/3 de la récolte en grains et en céréales sont utilisés pour l'alimentation du bétail.

Sur les 200 millions de tonnes de graines mangées par le bétail américain en 1978, 30 millions de tonnes ont été retournées aux citoyens américains sous forme de viande. Le reste (170 millions de tonnes) a servi à faire de la graisse ou s'est perdu dans l'énergie utilisée par les bœufs, dans la fabrication de la peau, des cornes, des poils, des bouses, du cuir, et était par conséquent perdu pour les humains. 170 millions de tonnes représentent deux fois la quantité totale de graines exportées par les États-Unis (notamment en URSS, 10 à 15 millions de tonnes).

Si les Américains mangeaient 35 % de moins de viande *, 32 millions d'hectares de terres servant aujourd'hui pour l'alimentation du bétail seraient libérés, 5 % de cette surface pourraient être plantés en soja, ce qui restituerait aux Américains les protéines dont ils ont besoin. Sur les 95 % de la surface restante, on pourrait planter des végétaux à croissance rapide. Cette biomasse alimenterait 255 centrales thermiques de 1 000 mégawatts, soit la moitié de la puissance totale en électricité installée

---

* Ils en consomment 114 kg par personne et par an, soit 312 g par jour, ce qui fait que, en un an, un Américain a consommé une fois et demie son poids de viande.

aux États-Unis en 1974. La compétition entre alimentation et besoins énergétiques est donc claire.

Quiconque se met à table devant un steak de 200 g a autour de lui trente à quarante « fantômes » ayant devant eux une assiette vide. Cet exemple illustre le coût en protéines nécessaire pour fabriquer 200 g de viande : chacune des trente à quarante personnes aurait droit à un plat de céréales lui donnant une ration protéique convenable.

Il faut 16 kg d'alimentation pour le bétail pour faire 1 kg de protéines de bœuf. La moitié de l'énergie et des protéines récoltées par les fermiers américains ne sert donc qu'à faire de la bouse et du fumier.

Un hectare de céréales produit cent fois plus de protéines et un hectare de lentilles quinze fois plus de protéines qui si cet hectare était consacré à l'élevage de bœufs de boucherie.

Plus un bœuf mange de graines, plus il fabrique de la graisse. Comme il est vendu au poids, il faut ensuite jeter la graisse inutile et en débarrasser les carcasses. En 1978, aux États-Unis, près de 3 millions de tonnes de graisse ont été ainsi jetées. Ce gaspillage représente un gâchis d'énergie et de graines qu'on aurait pu consacrer à la nourriture des hommes, gaspillage évalué à 3,5 milliards de dollars par an.

100 millions de chiens et de chats aux États-Unis consomment à eux seuls 5 % de toute la nourriture nécessaire au bétail.

Un habitant du Sahel consomme directement 200 kg de céréales par an. Un Canadien en consomme 800, 75 directement et 725 indirectement (sous forme de viande produite grâce aux céréales), soit quatre fois la consommation de l'habitant du Sahel.

Il faut 78 calories d'énergie non renouvelable (pétrole) pour produire une calorie de viande de bœuf en élevage intensif.

3. *Manger trop de viande a un impact direct sur l'environnement et sur le développement du tiers monde*

La production des graines servant d'aliment pour le bétail exige des engrais, de l'énergie, du travail, des surfaces cultivées. Les nitrates des engrais polluent les nappes d'eau souterraines.

Les pesticides chimiques s'accumulent et se concentrent dans les graisses animales; de même que s'accumulent les antibiotiques ou certaines hormones, dangereuses pour la santé humaine. Une culture intensive conduit à l'érosion des sols, et le surpâturage à la désertification.

Et ce n'est pas tout. Notre hyperconsommation de viande a un impact direct sur l'épanouissement du tiers monde. Nous utilisons en effet des terres qui servent à importer du bétail. C'est ainsi qu'on a détruit des forêts tropicales en Amérique du Sud. Par ailleurs, les cultures en *cash crops*, qui rapportent vite (tabac, coton, café, thé, jute, caoutchouc) ne permettent pas de cultiver les sols destinés à produire les céréales contenant les protéines, celles dont ont tant besoin les enfants du tiers monde. Un dixième de la surface des terres cultivées du monde entier est utilisé par des *cash crops*.

Pire encore, en 1970, les pays développés ont consommé environ 600 millions de tonnes de céréales (soit la moitié des disponibilités mondiales). Sur cette quantité, 370 millions de tonnes (60 %) ont servi à élever des animaux producteurs de viande. Cette quantité est supérieure à la nourriture des habitants des pays du tiers monde (300 millions de tonnes de céréales).

On peut en conclure que la production de viande des pays développés est un concurrent protéique direct pour les habitants du tiers monde. La surface cultivée pour produire de la viande devient de plus en plus grande alors que l'espace total disponible est de plus en plus restreint. Les pays développés consommant de fortes proportions de calories animales sont donc aussi de gros consommateurs d'espaces disponibles et d'énergies fossiles dans l'écosystème mondial.

A une époque de pénurie d'énergie et de pénurie de protéines, pourrons-nous longtemps continuer de nous payer le luxe de manger de la viande de bœuf – alors que toutes les protéines essentielles à la vie sont là, dans les végétaux (à condition que ceux-ci soient intelligemment combinés)?

Comment passer
à la pratique dans la vie
de chaque jour

Les animaux se repaissent;
l'homme mange;
l'homme d'esprit seul sait manger.
A. Brillat-Savarin

Les principes de base énoncés plus haut, issus des recommandations des nutritionnistes, des règles empiriques de la bonne alimentation ou de celles de la diététique, peuvent être mis en pratique dans la vie quotidienne. A condition de respecter les douzes règles (simples) qui suivent; ça n'a rien de difficile!

1. *Achetez à l'avance les produits de base de l'anti-bouffe*

Gardez en réserve dans le réfrigérateur ou dans le placard les aliments de base à rechercher : lait écrémé, boîtes de céréales complètes, Bircher muesli, son diététique, graines, légumes secs, germe de blé, levure, fruits séchés, noisettes décortiquées, légumes, fruits, etc.

2. *Concentrez-vous sur les repas pris à la maison*

Particulièrement sur le *petit déjeuner*, le *dîner* et le *souper*. En effet, une diététique simple pour une santé optimale ne produit pas ses effets en une semaine. A l'inverse, une alimentation passagèrement déséquilibrée n'affecte pas brutalement un mode alimentaire fondé sur le long terme et la continuité. Or, le petit déjeuner se prend la plupart du temps chez soi. C'est peut-être plus rare en ce qui concerne le dîner, mais à nouveau assez fréquent pour le souper ou le snack du soir.

Or le petit déjeuner est le repas le plus important de la journée. Celui qui détermine l'humeur et le tonus du jour.

(Voir des exemples de petit déjeuner dans le guide de l'anti-bouffe p. 140.)

3. *Respectez les proportions entre les aliments*

Si l'on utilise les abréviations suivantes : glucides (G), lipides (L) et protides (P), elles constituent une formule très simple et facile à retenir, voisine de celle proposée par le Dr A. Creff, chef de laboratoire à l'hôpital Saint-Michel. GPL = 421.

421

qui se répartissent comme ceci :

4 PORTIONS DE GLU-CIDES *soit 50 à 60 % de la ration calorique*	1 portion de céréales ou de féculents 1 portion de légumes cuits 1 portion de salade 1 portion d'aliments sucrés (miel, fruits)
2 PORTIONS DE PRO-TÉINES *soit 12 % de la ration calorique*	1 portion ne contenant pas de calcium (viande, poissons) 1 portion contenant du calcium (lait, fromages)
1 PORTION DE LIPI-DES *soit 30 % de la ration calorique*	1/2 portion de matières grasses animales 1/2 portion de matières grasses végétales (huile d'assaisonnement)

4. *Variez les menus*

C'est le meilleur moyen de respecter les apports nécessaires quotidiens en calories, vitamines, minéraux; et de renforcer la valeur nutritive et la qualité des aliments. Sans avoir à garder les yeux fixés sur des tables compliquées.

5. *Équilibrez les repas*

Selon les aliments consommés le matin ou au déjeuner, on peut se rattraper au dîner ou au souper, en compensant les manques ou les excès. Ainsi : consommez des légumes verts ou du fromage le soir, si le déjeuner de midi n'en comportait pas.

6. *Ayez en tête la valeur calorique des aliments*

C'est très compliqué si l'on se réfère aux tables publiées dans la plupart des livres de diététique.

C'est très simple, au contraire, si l'on connaît la valeur calorique approchée des unités que l'on consomme. Par exemple : une aile de poulet, une assiette de pâtes, une banane, un sucre, dix noisettes, ou une cuiller d'huile.

C'est dans ce sens que vont les tableaux d'équivalence en calories que vous trouverez dans le guide de l'anti-bouffe, à la fin de l'ouvrage. La valeur calorique des aliments les plus courants est exprimée pour 100 g, puis ramenée à quelques unités simples facilement mesurables (une tasse, une cuiller, une pincée, etc.).

7. *Sachez la valeur nutritive des associations entre les aliments*

Une des clefs de l'anti-bouffe est de savoir *renforcer* la qualité des aliments en les *associant*. La valeur nutritive de l'ensemble est supérieure à la somme des parties qui le constituent. C'est une illustration éclatante de l'importance des *moyens combinés* décrits dans le second chapitre.

Un chapitre spécial est consacré aux propriétés fondamentales de la complémentation, nécessaire pour accroître la valeur protéique d'aliments pauvres en protéines, comme les végétaux (voir p. 83). Cette méthode constitue la base d'une véritable alimentation végétarienne. Il ne faut pas craindre de le redire : ne manger que des crudités, des légumes et des fruits, sans connaître les règles millénaires de la complémentation, c'est un suicide à petit feu différé dans le temps. Les tableaux que vous trouverez dans le guide de l'anti-bouffe et le chapitre sur la complémentation indiquent les règles à suivre et les associations de base à connaître :

céréales + légumes secs (exemple : riz et lentilles)
céréales + produits laitiers (flocons d'avoine et lait)
graines + légumes secs (graines de tournesol et haricots)
légumes secs + produits laitiers (exemples : soupe de pois cassés et lait).

8. *Évitez de manger tous les jours de la viande de boucherie*

La viande rouge est pour la tradition populaire l'aliment essentiel qui « donne des forces », qui apporte du fer. C'est vrai, dans une certaine mesure. Mais c'est faux si l'on considère l'apport en graisse et le coût (monétaire et énergétique) de la viande de boucherie. Mieux vaut n'en manger que deux ou trois fois par semaine au maximum (au lieu de deux fois par jour) et la remplacer le plus souvent possible par de la volaille et du poisson. On obtient ainsi les protéines sans les graisses dangereuses.

De toute manière, nous vous recommandons de consommer plusieurs fois par semaine des repas végétariens, ou plutôt lacto-ovo-végétariens (lait, œufs, végétaux).

---

*Un des fondements de l'attitude anti-bouffe
est représenté par le refus
de la viande comme aliment de base.*

---

9. *Perdre l'habitude de mettre du beurre, du sel, du sucre, sur la table*

Il faut apprendre très tôt aux enfants :
à réduire le beurre sur le pain pendant les repas;
à ne pas ajouter de sel dans les plats;
à ne pas ajouter du sucre dans les yaourts ou dans les fruits (fraises, fruits écrasés, etc.).

On a déjà vu pourquoi (voir p. 65).

Vous savez qu'il est plus facile qu'on ne le croit de se débarrasser du sucre. Le goût s'en estompe très vite. C'est en fait un conditionnement de type social, comme pour le sel. Quant au beurre sur des petits morceaux de pain ou sur des grandes tartines, il ne faut pas s'en priver de manière drastique. C'est si bon! Mais il faut savoir le limiter en connaissance de cause.

10. *Sachez manger en dehors de chez vous*

Évidemment, quand on déjeune et dîne tous les jours en dehors de chez soi, il devient plus difficile d'assurer la continuité de ce mode alimentaire optimal. Il faut alors se rattraper sur le petit déjeuner ou le snack du soir. Mais quelques trucs simples permettent néanmoins d'équilibrer son alimentation, sans se gâcher la vie et sans incommoder ses amis.

Au restaurant et à la cantine. Au restaurant, il est tout à fait possible de sélectionner les aliments permettant d'équilibrer son repas *. Pour cela, il faut bien connaître les aliments essentiels (cf. tables et tableaux dans le guide de l'anti-bouffe). C'est d'autant plus facile que le petit déjeuner aura été solide, riche en protéines, glucides et vitamines. A la cantine, les choix sont certes moins variés, mais la sélection demeure néanmoins possible.

Sur les lieux de travail, apportez avec vous certains des produits que vous aimez et dont vous avez besoin. Pour les snacks

* Recherchez, par exemple, les poissons ou les œufs (dans la limite de six ou sept par semaine), ou tout simplement des salades composées, des associations de légumes cuits suivis de fromage et de fruits.

entre les repas, par exemple, quelques galettes de son, tranches de pain complet, fruits séchés, noisettes, etc.

Chez des amis. Ne donnez pas l'impression que vous suivez un régime contraignant – ce qui n'a rien à voir avec une alimentation sélective et optimale. Et surtout, évitez de prêcher, de vouloir convertir les autres. Il faut au contraire vous laisser aller. Quelques écarts à l'autonorme ne posent pas de problème. Bien au contraire : ils accroissent la variété et rendent la vie en société bien plus facile.

En voyage. Si vous avez l'occasion de beaucoup voyager, recherchez dans les endroits où vous séjournez les magasins ou les alimentations diététiques. Vous pourrez y acheter vos aliments favoris. A l'étranger on trouve d'ailleurs de plus en plus de restaurants végétariens ou « équilibrés ». Une cure végétarienne de temps en temps est excellente pour la santé.

En règle générale, il ne faut pas que la recherche à tout prix d'une alimentation optimale devienne pour vous une obsession.

Il ne s'agit pas d'un régime médical. C'est pourquoi il ne faut pas se demander sans cesse : « Puis-je manger de ceci? « « Ai-je droit à cela? » Un écart ou quelques écarts à la ligne générale n'ont aucune importance. Ce qui compte, c'est la *continuité* et le *long terme*. Arriver à équilibrer son alimentation les 80 % du temps est certainement meilleur que de ne pas l'équilibrer du tout. Même si l'on se permet des écarts les 20 % restants!

11. *Surveillez-vous : le* pinch-test

Le principal facteur qu'il convient de surveiller est le poids. Ou plutôt, l'accumulation de graisse inutile et excédentaire. Malheureusement, les tables donnant le poids optimal de chaque individu en fonction du sexe, de la taille, ou de l'âge sont difficiles à utiliser. Par ailleurs, la balance, indicateur familier, donne des indications de tendance mais ne montre que des variations sur d'assez longues périodes, rarement d'un jour sur l'autre. C'est pourquoi nous vous proposons une méthode simple

102

et fiable pour mesurer quotidiennement le dépôt optimal de graisse et son accroissement : c'est le *pinch-test*.

La majeure partie du stockage des graisses en excès se situe entre le bas de la cage thoracique et le haut des cuisses. En pinçant entre le pouce et l'index la peau dans cette zone (mesure du pli cutané), il est facile d'évaluer la quantité de graisse stockée (voir la figure 46). Les statistiques montrent que chez les personnes ayant une alimentation optimale et pratiquant régulièrement un exercice (comme les coureurs de fond, par exemple), l'épaisseur du pli cutané mesurée par le pinch-test, à l'endroit précis indiqué sur le schéma, est comprise entre 5 et 7 mm. Cette valeur est remarquablement constante, quels que soient le sexe, l'âge, la taille ou la morphologie. De plus, l'épaisseur du pli cutané varie rapidement et sensiblement en fonction de ce que l'on a consommé. Avec un peu d'entraînement, on arrive ainsi à mesurer son poids optimal avec une grande facilité et une grande fiabilité. Évidemment, pour plus de précision on peut utiliser un pied à coulisse * !

12. *Faites de l'exercice*

Une alimentation optimale est inséparable de l'exercice régulier du corps et même de l'esprit (relaxation, respiration, méditation).

Comme on l'a vu p. 33, chaque dimension de l'individu influence toutes les autres. Le maintien d'une bonne santé repose donc également sur la pratique d'un exercice quotidien. Cet aspect nous paraît tellement important qu'une section entière lui est consacrée (p. 107).

Lorsque le pinch-test signale une accumulation de graisse, il faut brûler des calories afin de revenir à l'optimum. Le petit tableau de la page 106 montre des relations souvent mal connues entre la consommation de calories excédentaires et l'exercice nécessaire pour en brûler l'équivalent.

* Le nom technique de ce pied à coulisse est le Calipper.

Le pinch-test

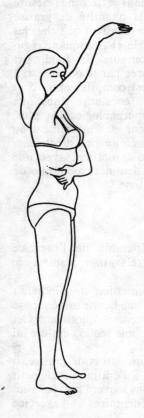

*Pincer la peau à
la base des côtes,
le bras est posé
sur le ventre juste
au-dessus du nombril.*

*Prendre le pli entre
le pouce et l'index
de la main droite*

Un moyen simple et fiable de mesurer son poids optimal en
détectant immédiatement toute accumulation de graisse en
excès.

Le pinch-test

épaisseur normale du pli
7 à 12 mm
épaisseur optimale
5 à 7 mm
épaisseur trop importante
15 à 20 mm
dangereux
30 à 40 mm

Figure 46

pour brûler cette quantité de calories il faut

1 cuillerée de mayonnaise
= 100 calories

1 heure de marche

10 sucres
= 200 calories

1 heure de tennis

2 tartines bien beurrées
avec de la confiture
= 300 calories

1 heure de jogging

1 whisky ou
1 apéritif
+ 5 biscuits
10 noisettes et
10 chips de cocktail
= 500 calories

plus de 2 heures
de danse disco

Figure 47

L'exercice
du corps et de l'esprit

Une nouvelle façon de se nourrir
appelle une nouvelle manière
de vivre.
Alain Senderens

L'exercice du corps et de l'esprit est indissociable d'une alimentation équilibrée.

Le but de ce qui suit est de donner quelques indications permettant à peu de frais, et sans bouleverser ses habitudes, de pratiquer un excercice régulier; et d'apprendre à se décontracter, à résister au stress. Les bienfaits d'un exercice modéré pour les citadins à l'activité sédentaire ont été assez souvent exposés pour qu'il soit nécessaire d'y revenir ici. Essayons simplement de répondre aux questions que chacun se pose, tout en renvoyant le lecteur à des ouvrages plus complets sur le sujet.

1. *Quel type d'exercice peut-on faire en ville?*

Pour ceux qui n'ont pas la chance ou l'occasion de pratiquer régulièrement un sport de salle ou de plein air, la gymnastique chez soi, la marche et la course à pied sont les moyens les plus simples pour pratiquer une activité régulière nécessaire au maintien d'une santé optimale. De ces trois possibilités, la course à pied (footing, jogging) pratiquée selon son rythme propre sans forcer, est un des meilleurs moyens reconnus par les médecins. Elle permet de maintenir le cœur en activité, à une vitesse régulière de battements comprise entre 140 et 180, pendant une période suffisamment longue, et d'une manière facile à contrôler. L'important dans ce qui suit est de comprendre comment il est possible de courir régulièrement sans bouleverser ses habitudes quotidiennes.

Attention, ne vous lancez pas dans la pratique du jogging sans avis et surveillance médicaux.

2. *Combien de temps faut-il courir?*

L'important est de courir vingt minutes, trois ou quatre fois par semaine (par exemple : lundi, mercredi, vendredi et dimanche). On peut, bien sûr, pousser jusqu'à trente ou quarante minutes tous les jours selon l'entraînement. Mais, de l'avis des médecins et cardiologues, vingt minutes trois fois par semaine seulement suffisent à maintenir un niveau optimal de santé. La distance et la vitesse importent peu. L'essentiel est de courir doucement, à petites foulées, et suffisamment longtemps.

3. *Quand faut-il courir?*

Certains préfèrent faire leur footing le matin de bonne heure avant le petit déjeuner. D'autres à l'heure du déjeuner. D'autres encore le soir en rentrant. Il vaut mieux courir avant un repas. On peut se lever vingt minutes plus tôt ou réduire certaines tâches – ce qui n'est pas très difficile.

4. *Choisissez bien l'endroit où vous souhaitez courir*

L'idéal est un terrain d'herbes, de feuilles ou de terre battue. Les trottoirs demandent de très bonnes chaussures. Ne vous inquiétez pas pour les gaz des voitures ou la pollution. Dites-vous bien :
– qu'il vaut mieux en respirer un peu en faisant de l'exercice, que rester assis à son bureau à accumuler des graisses,
– qu'à une distance de cinquante mètres, les gaz d'échappement des voitures se dissipent rapidement.

Choisissez votre parcours en conséquence (contre-allées, berges d'un fleuve, parc, etc.).

5. *Avec quel équipement?*

Le principal élément, c'est évidemment les chaussures. Elles doivent être légères, un peu plus grandes que votre pointure, avoir un talon arrondi et bien rembourré.

En hiver, portez un survêtement et un tee-shirt, des gants et un bonnet si nécessaire. En été, un tee-shirt, une culotte d'athlétisme.

6. *Comment mesurer son rythme cardiaque?*

Le footing ou le jogging demandent un contrôle permanent pour éviter au cœur un effort trop important. C'est pourquoi il est essentiel de ne courir que sous surveillance médicale au début.

Par la suite, il faut savoir prendre son pouls (au poignet ou à la carotide). Un cœur normal bat à 60-100 pulsations à la minute ; le cœur des coureurs à environ 45-60 pulsations. Pour les personnes peu entraînées, il est recommandé d'alterner la marche et le jogging, dès que les pulsations dépassent une *valeur critique* établie pour un âge donné, ou dès que l'on se sent trop essoufflé. Cette valeur critique se situe à 70-80 % environ du rythme cardiaque maximal pour une tranche d'âge donnée (voir le tableau de la figure 48). Elle correspond à un nombre de pulsations compris entre 22 et 28 pendant dix secondes, et cela pour la grande majorité des individus. On a un bon taux de récupération si on revient à 16 pulsations en dix secondes, une à deux minutes après l'arrêt de l'effort. Une récupération plus lente demande une surveillance soutenue.

Le but est 70 % de la fréquence maximale, la limite est 85 % de cette même fréquence.

Si vous avez quarante ans, votre rythme cardiaque maximal est de 180 en plein effort. Il n'est donc pas recommandé de dépasser 144, soit 24 pulsations pendant dix secondes. Si votre

âge	rythme cardiaque maximal (puls./min.)	limite maximale de sécurité (80 %) (puls./min.)	limite maximale de sécurité (puls./10 sec.)
15	210	168	28
25	200	160	~ 27
35	190	152	~ 25
40	180	144	24
45	170	136	~ 23
50	160	128	~ 21
55	150	120	20
60-70	145	116	~ 19

Figure 48

rythme cardiaque est supérieur, marchez doucement, respirez, reprenez votre course quand votre rythme cardiaque sera redescendu aux environs de 100, au bout d'une à deux minutes. Sinon, continuez à marcher.

7. Pourquoi un tel exercice est-il bon?

Le jogging pratiqué régulièrement a de nombreux effets bénéfiques. Il réduit les risques de maladies cardiaques, diminue l'hypertension, améliore l'état des diabétiques, facilite le sommeil, conduit à une plus grande relaxation du corps, permet de trouver le temps pour résoudre des problèmes, permet de lutter contre le stress. L'exercice accroît le volume du cœur, ralentit les battements cardiaques. Or, à 45 pulsations par minute on économise 15 millions de battements de cœur par an; il s'use donc moins vite. Autres avantages du jogging : il accroît le volume de la pompe cardiaque, permet à l'organisme de mieux affronter l'effort, de lutter contre la fatigue et les maladies, d'éviter l'accumulation de graisse excédentaire et rend les artères plus souples, diminuant les risques d'artériosclérose.

8. *Quelques conseils utiles*

Si vous n'avez aucun entraînement, ne commencez pas sans avis médical. Une mise en forme préliminaire est essentielle.

Ne courez jamais sans vous être échauffé et assoupli pendant au moins cinq minutes, et de préférence dix minutes avant le départ. Après la course, assouplissez-vous et décontractez-vous pendant cinq minutes, dès l'arrivée.

Vous devez pouvoir parler à quelqu'un en courant : c'est le signe que vous courez à votre rythme.

L'exercice de l'esprit
Lutter contre le stress

Comment lutter contre le stress, diminuer la tension nerveuse et l'agressivité? Comment trouver un sommeil réparateur? Et cela sans avoir besoin de s'engager dans la pratique complexe du zen, du yoga, ou de la méditation transcendantale? Voici encore quelques idées simples et faciles à appliquer pour mieux vivre. Savoir se relaxer, respirer, méditer, dormir.

SE RELAXER

On peut se relaxer n'importe où. Savez-vous que deux à trois minutes suffisent? Comment faire?

Trois positions de base, très simples :

1. Les yeux fermés, les mains posées sur les cuisses ou le long des bras d'un fauteuil, paumes vers le haut, le pouce et l'index en contact formant un cercle. Relâchez peu à peu les muscles du visage, du cou, des épaules, des pieds, des jambes, des bras.

2. Allongé sur le dos, les mains le long du corps, les paumes vers le haut, même position des doigts. On peut mettre un

111

bandeau sur les yeux et des boules dans les oreilles, pour éliminer lumière et bruit.

3. Assis en tailleur, position de yoga, les jambes croisées, le buste droit, les yeux fermés, bras le long du corps, poignets posés sur le sol, de chaque côté des cuisses, paumes vers le haut, doigts dans la position décrite précédemment.

RESPIRER

Le meilleur moyen de refaire rapidement sa provision d'énergie après une journée fatigante.

Allongé sur le dos dans la position de relaxation

1. Respirez avec le ventre seulement.
2. Soulevez doucement la cage thoracique.

(Durée totale de l'opération 1 et 2 : environ huit battements de cœur.)

3. Restez gorgé d'air dans cette position pendant trois ou quatre battements de cœur environ.
4. Videz doucement le *ventre d'abord*.
5. Relâchez la cage thoracique en expirant ce qui reste d'air.

(Durée totale de l'opération 4 et 5 : huit battements de cœur environ.)

6. Restez vidé d'air pendant trois ou quatre battements de cœur. Recommencer le cycle de cinq à vingt fois. Un cycle dure de vingt à vingt-cinq secondes. Dix fois représentent donc cinq minutes, vingt fois dix minutes environ. C'est amplement suffisant pour une séance de respiration. Cet exercice de respiration peut aussi se faire avec le ventre seul pendant une durée de dix à quinze minutes environ.

112

MÉDITER

Sans avoir besoin de cours spéciaux ou de livres, la façon la plus simple de méditer est celle-ci :

Prenez une des trois positions décrites précédemment.

Choisissez un endroit calme, habituel, que vous aimez.

Fermez les yeux et respirez doucement selon la méthode décrite précédemment, en vous concentrant sur le *flux d'air entrant dans le nez* (sensation de fraîcheur dans les narines).

Ne pensez pas à l'air entrant dans vos poumons ou renvoyé à l'extérieur.

Quand votre pensée s'échappe sur un sujet, ou si vous êtes distrait, reconcentrez-vous sur le rythme de votre respiration.

Comptez les cycles de respiration jusqu'à dix et recommencez. Méditez pendant cinq à dix minutes, quelquefois jusqu'à un quart d'heure, une fois par jour.

La méditation transcendantale est connue pour avoir de nombreux effets physiologiques et psychologiques, par exemple l'abaissement du rythme cardiaque, la diminution du taux d'acide lactique dans le sang (cause fréquente de fatigue), etc.

DORMIR

Les excitants de la vie moderne (stress, café, tabac, alcool, bruit), le manque d'exercice et l'excès de nourriture troublent le sommeil. Les somnifères créent une dépendance. On est enfermé dans un cercle vicieux dont il est difficile de sortir sans un effort graduel.

Voici quelques trucs simples pour dormir naturellement :

1. Préparez votre sommeil. Arrêtez tout travail, tout excitant

– conversation passionnée ou discussion – au moins une heure avant de dormir.

2. Attention au thé, café, Coca-Cola ou vitamine C pris vers 5 à 6 h de l'après-midi. C'est le moment où le cerveau sécrète des hormones qui prépareront le sommeil.

3. Faites de l'exercice régulièrement, et surtout le soir, si vous avez du mal à dormir.

4. Mangez quelque chose avant de dormir (snack léger). Pour ceux qui le supportent, il est recommandé de boire un verre de lait. Si nécessaire, en cas d'insomnie, un verre de lait chaud avec du miel. L'effet soporifique de cette boisson est connu depuis longtemps.

5. En cas d'insomnie, levez-vous. Faites quelques flexions, allez dans la cuisine boire un verre de lait, lisez un journal ou un livre, et retournez vous coucher.

6. Si vous êtes vraiment insomniaque et que vous avez un peu d'entraînement en footing ou en jogging, mettez votre survêtement et allez courir autour du pâté de maisons. Deux conditions essentielles : 1) décidez à l'avance de la durée de votre footing; 2) ne trichez pas, respectez scrupuleusement cette distance ou cette durée.

7. Pratiquez les exercices de respiration décrits plus haut.

Comment agir à l'échelle nationale et internationale en matière de nutrition

La destinée des nations
dépend de
la façon dont elles se nourrissent.
A. Brillat-Savarin

Les pages précédentes ont cherché à donner quelques conseils pour indiquer ce qu'il est possible de faire au niveau individuel, dans le but de conserver une santé optimale et un certain équilibre de vie. La plupart des éléments d'un tel équilibre sont placés sous notre contrôle direct : choisir les aliments, manger moins souvent, éviter les excès, etc. Mais dans le monde d'aujourd'hui, d'autres forces entrent en jeu qui tendent à limiter nos choix, voire à nous imposer certains modes de vie ou habitudes alimentaires. Nos supermarchés sont inondés de produits à la qualité nutritionnelle discutable. Les règles diététiques les plus élémentaires sont souvent bafouées. La grande industrie de l'alimentation s'appuie sur des messages publicitaires faisant la promotion de produits dont les qualités alimentaires sont bien souvent en contradiction avec les recommandations des nutritionnistes. Aucune information contradictoire. Aucun élément d'appréciation sur les quantités ou les fréquences recommandées : mangez du beurre, buvez des boissons sucrées, sodas, orangeades ou colas, mangez du pâté, fumez telles cigarettes, décontractez-vous le vendredi avec tel apéritif, etc. Ce qui se vend n'est pas toujours ce qui est bon pour soi. Tout cela, chacun le sait depuis longtemps. Alors, que faire, au niveau national, face à la grande industrie, à la publicité, aux réglementations, parfois insuffisantes, des organismes publics? Que faire pour protéger notre santé et celle de nos enfants? Comment savoir? Comment s'y retrouver? Comment contrôler?

115

Nous ne connaîtrons évidemment jamais de message publicitaire qui nous apprendrait à consommer moins de sucre, moins de viande, ou à boire plus souvent de l'eau du robinet. L'information sanitaire est souvent ardue, moins bien présentée que les flashes publicitaires qui attirent tant les enfants. Il ne reste alors qu'à agir personnellement et à son niveau. L'attitude anti-bouffe va, en fait, et bien évidemment, à l'encontre d'intérêts puissants, qu'ils soient ceux des lobbies de la viande, du sucre ou de l'alcool. Pour équilibrer les pouvoirs, pour modifier, ne serait-ce que légèrement, le cours des choses, deux moyens, peut-être, s'offrent à nous : la pression sur les pouvoirs publics (réglementation, publicité, information, éducation) et l'action individuelle renforcée, démultipliée par les actions de consommateurs.

L'acte d'acheter est assimilable à un vote permanent, une sorte de référendum, un sondage quotidien essentiel aux industriels qui préparent et vendent ce que nous consommons tous les jours. La pression que chaque citoyen (par le choix de ses élus) peut exercer sur les organismes de l'État responsables de la santé, de la nutrition, du contrôle des substances toxiques n'est-elle pas la voie la plus classique, mais aussi la plus efficace à long terme ? On connaît les répercussions des travaux de la commission sénatoriale dirigée par McGovern aux États-Unis (voir p. 39) sur l'alimentation des Américains et la stratégie des industriels.

De grandes firmes dont les marques sont bien connues du public suppriment aujourd'hui le sel de certaines denrées, diminuent le sucre des aliments pour enfants, réduisent les graisses... et voient d'un coup leurs ventes s'accroître au détriment des firmes qui continuent à s'attacher aux *junk-foods*. Certaines chaînes de restaurants *fast-food,* à base de hamburgers, de frites et de glaces, enregistrent pour la première fois depuis cette année des diminutions de ventes. Parce que le prix du bœuf monte, certes, mais aussi parce que les clients ont perdu confiance en la qualité nutritionnelle de leurs produits.

Aux États-Unis les restaurants « naturels » se multiplient, ainsi que les magasins diététiques. Le nombre de ces magasins s'est multiplié par cinq en dix ans, passant de 1 200 en 1968 à 6 000 en 1978. Leur chiffre d'affaires a augmenté de 60 millions de dollars en 1968 à 1 milliard de dollars en 1978 – soit 1 % de tout le chiffre d'affaires de l'alimentation aux États-Unis. C'est un véritable raz de marée dans ce pays bien souvent en avance par rapport à la vieille Europe. Cela traduit un mouvement de fond et dénote la nécessité d'une approche plus scientifique de la nutrition.

La clientèle des magasins diététiques change, elle aussi. Composée jadis de personnes âgées achetant des produits à l'emballage vieillot, dans des magasins ressemblant à des pharmacies, elle est aujourd'hui plus jeune, plus exigeante, mieux informée. Les résultats d'une alimentation mieux équilibrée associée à l'exercice sont déjà significatifs. Pour la première fois depuis quelques années, les maladies cardiaques ont diminué aux États-Unis.

Il est encourageant de voir que les jeunes de nombreux pays, dont le nôtre, posent de plus en plus de questions sur l'alimentation : rôle du sucre, intérêt de la viande, danger des graisses, etc. C'est en effet très jeune que les habitudes se prennent. C'est également très jeune que les effets nocifs ont les conséquences les plus désastreuses. Les autopsies comparées réalisées sur de jeunes soldats américains et vietnamiens tués pendant la guerre du Vietnam ont montré les dégâts déjà causés au système artériel des premiers.

Et pourtant, les habitants des pays développés n'ignorent pas toujours autant qu'il paraît les dangers résultant d'une alimentation déséquilibrée. Plusieurs sondages d'opinion réalisés ces dernières années, notamment aux États-Unis et en France, par le Comité français d'éducation pour la santé, indiquent qu'une fraction importante de la population sait qu'en mangeant plus de poissons, de fruits ou de pain complet, leur santé serait améliorée. Ils connaissent également les effets d'un excès de calories, de sucre, de graisse, ainsi que les dangers du cholestérol. De tels sondages montrent également, et de manière surprenante, qu'un très faible pourcentage des personnes interrogées avaient en fait décidé de modifier leurs habitudes. Chacun pense en effet que les maladies liées à l'alimentation concernent les autres et pas lui. Ils estiment très improbable qu'ils aient un jour des maladies cardio-vasculaires, du diabète, de l'hypertension, ou certains types de cancers.

Même une information claire, percutante, à la portée de tous, ne suffit pas à modifier radicalement les habitudes alimentaires. Il en va de même pour la cigarette. La plupart des campagnes d'information échouent, car elles cherchent à induire la crainte devant le danger ou à culpabiliser. Le ton de ces informations et leur style sont bien souvent moralistes, voire paternalistes. Ceux que ces informations sont censés toucher se trouvent dans l'incapacité totale d'agir. D'une part, parce qu'ils ne savent pas *comment* agir et, d'autre part, parce que les querelles entre experts et publicitaires obscurcissent bien souvent un domaine qu'on préfère ne pas chercher à dominer. Au contraire, les informations publicitaires touchent profondément le public : le message est court, amusant, moderne, répétitif, facile à comprendre. On est donc en présence d'un réseau serré d'intérêts et de moyens, au sein duquel les effets, le plus souvent nocifs pour notre santé, se combinent et se renforcent.

Le domaine de la nutrition est très vaste : il ne touche pas seulement la biologie, la médecine, mais aussi l'industrie alimentaire, les organismes gouvernementaux chargés de contrôler ou de légiférer, les moyens d'information, de publicité, d'éducation, les réseaux de distribution.

Tout le secteur de la nutrition est ainsi affecté par des décisions prises à l'échelon de quelques industries ou de quelques fonctionnaires – décisions qui nous concernent tous.

Ne serait-il pas opportun de créer dans notre pays une *Délégation générale à la nutrition* (comme il en existe une pour la recherche scientifique et technique ou pour l'aménagement du territoire)? Cette délégation générale (rattachée, par exemple, au ministère de la Santé) aurait pour mission de coordonner les actions gouvernementales avec celles des différents ministères concernés (Agriculture, Industrie, Santé, Travail, Finances, etc.); avec les politiques industrielles (production, contrôle, conservation, emballage, toxicité, qualité nutritionnelle) et les stratégies commerciales (publicité, information, distribution, grandes surfaces). Un tel organisme pourrait jouer un rôle considérable dans des domaines qui interfèrent directement avec les problèmes de santé liés aux modes d'alimentation : incitation gouvernementale, recherches à entreprendre, information et éducation, publicité, prévention des maladies par l'alimentation, etc. Voici quelques exemples d'actions que pourrait entreprendre cet organisme :

Le gouvernement pourrait inciter à l'introduction d'aliments d'une haute qualité nutritive dans les centres d'alimentation dépendant de l'État (hôpitaux, cantines d'organismes publics, écoles et lycées, armée). Ces modifications des menus pourraient faire l'objet d'informations et de débats dans les médias.

Des programmes de recherche en nutrique seraient financés, associant des universitaires et des industriels dans les domaines suivants : rôle de l'alimentation dans les maladies chroniques ou dégénératives, dans l'obésité. Rôle de la nutrition dans la prévention et le traitement de certaines maladies; besoins en nutriments essentiels; nutrition et troisième âge; nutrition et vieillissement; rôle des vitamines et des minéraux; alimentation des enfants et des adolescents; comportement général et alimentation; alimentation et efforts; etc.

L'impact de la publicité sur la consommation alimentaire serait également étudié. Des études réalisées en 1978 aux États-Unis par la North Western University ont montré que les annonces publicitaires portant sur des aliments présentaient (dans une proportion comprise entre 70 % des cas pendant la semaine et 85 % des cas pendant les week-ends) des produits considérés par tous les nutritionnistes comme dangereux pour la santé : aliments riches en sucres, en sel, en graisses ou en cholestérol. Le rapport d'un responsable américain de la publicité a montré en 1978 que plus de 50 % des budgets publicitaires pour l'alimentation à la télévision étaient consacrés à des aliments directement reliés aux plus grands facteurs de risques. La publicité présente les produits comme si on devait les consommer sans frein. Elle met l'accent sur les aspects « positifs » sans mentionner les risques. Elle ne donne aucune indication sur les quantités ou les fréquences.

L'information et l'éducation sur l'alimentation pourraient être renforcées. Une campagne d'information pourrait être entreprise dans les petites classes des écoles, dans les cantines scolaires, et relayée par la télévision. Elle porterait sur les besoins nutritionnels, l'équilibre alimentaire et la santé, les maladies de la pléthore. Elle mettrait des guides d'achat à la disposition des consommateurs, les conseillerait pour équilibrer leurs menus et réduire leurs dépenses. Des supports nouveaux seraient développés pour faciliter la diffusion de ces informations : cassettes, plaquettes, guides, livres, jeux (comme l'excellent jeu de cartes lancé en 1978 par le Comité français d'éducation pour la santé).

La base de l'attitude anti-bouffe et la clé de son efficacité sont, nous l'avons dit, la volonté de *s'autogérer*. C'est un premier pas vers l'autonomie, par rapport aux dépendances multiples dans lesquelles nous enferme la société moderne. Le moyen de cette autogestion, c'est le vote permanent représenté par le choix des aliments que nous consommons quotidiennement. *Manger différemment, c'est voter tous les jours.* Multipliée par mille, par un million, cette attitude individuelle peut infléchir le gouvernement, conduire les industriels à modifier leur stratégie. Le « boycott » est une arme très puissante entre les mains des consommateurs. Chacun se souvient de la pression du public pour supprimer les colorants alimentaires abusifs. Pourquoi pas le boycott de la viande de boucherie, dans un monde où il devient un luxe de consommer du bœuf ? Chacun sait que les protéines de la viande sont les plus chères. L'impact sur l'environnement et sur la consommation énergétique des élevages intentifs de bovins en vue de la production de viande de boucherie est indiscutable; et nous en avons donné quelques exemples (voir p. 93). Le rendement total de la machinerie agro-alimentaire à faire des protéines de bœuf est dérisoire face à celui des mêmes surfaces cultivées et des mêmes moyens énergétiques mécaniques ou humains utilisés pour produire des protéines végétales qui soient directement consommables par les humains. On paye plusieurs fois son bifteck : sur le budget familial, sur le budget énergétique du pays, par le déséquilibre de la balance des paiements pour l'achat du soja, ou par le coût social des maladies résultant d'une consommation exagérée de graisses et de cholestérol.

Un des principaux buts de l'attitude anti-bouffe est de montrer comment une action individuelle permettant une démultiplication collective peut conduire à des modifications radicales des modes alimentaires et des styles de vie. De telles modifications peuvent intervenir plus rapidement qu'on ne le pense généralement. La vogue récente des yaourts, la consommation de boissons à base de cola dans des pays où aucune préparation culturelle ne le laissait supposer montrent que le mythe de l'immobilisme des habitudes alimentaires n'est pas exact.

Mais ce livre ne cherche pas seulement à montrer comment les choses peuvent bouger au niveau de la collectivité. Il voudrait également indiquer comment on peut personnellement transférer ses plaisirs d'un secteur sur un autre, et modifier ses habitudes sans renoncer, sans se priver ou sans se sacrifier.

L'attitude nouvelle consiste à changer de cadre de référence. Certes, au premier abord, il peut sembler contraignant, triste ou puritain de manger moins, d'éviter le café, la cigarette, l'alcool, de diminuer la viande pour leur préférer légumes ou haricots. Combien de fois vos amis vous feront-ils la réflexion suivante : « Que reste-t-il dans la vie si l'on supprime ces quelques plaisirs quotidiens ? »

Pourtant, lorsqu'on comprend comment les choix alimentaires et de mode de vie définissent une norme personnelle, qu'ils conduisent à une plus grande autonomie et en définitive à d'autres plaisirs... on revient difficilement à la situation antérieure ! En fait, il s'agit de remplacer la gastronomie (étymologiquement : la *règle des tripes*) par une « orthonomie ». Laquelle pourrait être l'une des règles de base de conduite personnelle de la vie, à commencer par la façon de s'alimenter à concilier ce qui nous convient avec ce qui nous fait *plaisir*.

Conclusion

Les extraordinaires progrès de la médecine et leur impact sur la santé publique sont dus en grande partie aux percées scientifiques réalisées à la fin du XIXe siècle et au début du XXe par les chercheurs et les médecins, inspirées notamment par les travaux de Louis Pasteur. Grâce à Pasteur et aux autres grands savants de son époque, Erlich, Koch, Jenner, la mise en évidence du rôle des microbes a permis de diagnostiquer les grandes maladies infectieuses et de trouver les moyens de les prévenir ou de les guérir.

Avec la modernisation des tests de diagnostic, des moyens de recherche des agents les plus efficaces contre tel ou tel microbe, les découvertes récentes en chimiothérapie et l'utilisation massive des antibiotiques, nous nous trouvons devant une chaîne de causes et d'effets identifiables et qui peut se schématiser par les trois M :

Microbe ⟶ Maladie ⟶ Médicament.

Il suffit d'identifier le microbe pour pouvoir choisir le remède le plus approprié et, théoriquement, guérir la maladie. Or les microbes se défendent contre les traitements chimiques qu'on leur inflige. Ils deviennent résistants aux antibiotiques. Quant aux microbes utiles peuplant notre organisme, ils sont autant décimés que les microbes dangereux. Les équilibres naturels étant rompus, d'autres envahisseurs viennent conquérir le terrain : champignons pathogènes, par exemple, générateurs de mycoses graves, ou apparition d'affections virales. Ces nouvelles maladies seront à leur tour traitées par d'autres agents chimiques créant en cascade d'autres déséquilibres et d'autres désordres.

On entre dans une série de cercles vicieux préjudiciables à la santé et au bon équilibre du corps.

Si les traitements modernes connaissent certains échecs face aux microbes, ils subissent aujourd'hui une véritable déroute face aux maladies sans cause précise, sans étiologie bien définie : maladies chroniques, maladies dégénératives, maladies dues à l'environnement. Tels sont aujourd'hui les maux qui nous affectent et qui nous accablent bien plus que les maladies infectieuses de jadis.

Définir son autonorme, prévenir certaines maladies, vivre une vie équilibrée sont des moyens à la portée de chacun, nous permettant de remédier à une telle situation et d'améliorer la qualité de sa propre vie.

Il est fort probable que les grands progrès de demain dans le domaine de la santé viendront plus de *ce que nous serons capables de faire pour nous-mêmes* que de quelques médicaments miracles capables de guérir définitivement les grands fléaux d'aujourd'hui : maladies de cœur, cancers, hypertension ou maladies mentales. Au fur et à mesure de l'accroissement inquiétant des coûts de la santé, nous trouverons peut-être à ce moment-là tout aussi normal de payer pour nous maintenir en bonne santé que de payer pour être traités lorsque nous serons malades.

Un des principaux efforts à la portée de chacun de nous (et qu'il convient donc de faire) est de briser nos dépendances vis-à-vis d'agents extérieurs. Nous vivons en effet dans une société droguée. Droguée au niveau individuel par la consommation des poisons quotidiens. Droguée par l'accumulation de biens dont nous ne pouvons plus nous séparer. Droguée par notre hyperconsommation d'énergie puisée à des réservoirs de ressources non renouvelables. Les poisons familiers, alcool, café, tabac, ont été probablement nécessaires à l'humanité à une époque où la dureté de la vie se devait d'être compensée par quelques plaisirs immédiats susceptibles de donner « du cœur à l'ouvrage ». Stimulants, excitants, euphorisants naturels sont remplacés ou plutôt complétés par des substances synthétiques ayant des effets analogues : somnifères, tranquillisants ou dopants.

Il est frappant de constater que les médicaments qui réalisent les chiffres d'affaires les plus importants dans les sociétés modernes appartiennent à quelques catégories seulement : somnifères, tranquillisants ou laxatifs. Or, ce que « soignent » ces médicaments pourrait être traité par des moyens naturels et non agressants. C'est ainsi que le mauvais sommeil est dû, dans la majorité des cas, nous l'avons vu, à une consommation excessive d'excitants, à une alimentation trop riche ou déséquilibrée, à une incapacité à lutter contre le stress ou à un manque d'exercice. Les laxatifs sont censés traiter la paresse intestinale et provoquent d'autres désordres, alors que cette fonction naturelle est dévolue aux fibres alimentaires qui font défaut dans notre alimentation hyper-raffinée. Les tranquillisants, quant à eux, pourraient bien souvent être remplacés par quelques minutes d'exercice quotidien, l'apprentissage de techniques de relaxation et de respiration; par une alimentation mieux équilibrée, et en particulier moins carnée.

Nous nous trouvons donc sous l'effet de la dépendance, en état de manque, comme des drogués privés de leur drogue. Même sans considérer les graves effets de cette dépendance pour des drogues dures (héroïne, cocaïne, haschisch) ou des drogues douces (café, tabac, alcool), nous savons aujourd'hui que des aliments quotidiens jouent pour notre organisme un effet analogue. Ainsi en est-il de notre faim pour le sucre, notre goût du sel, notre appétit pour les graisses cuites. Réflexes conditionnés, conditionnement culturel, habitudes si profondément ancrées dans notre comportement que c'est faire un dur sacrifice que de les supprimer.

Chacun recherche, en effet, les aliments qui lui font plaisir. Les facteurs génétiques ont probablement un rôle important dans notre goût pour le sucré, les graisses cuites ou l'alcool. Il est également fort possible que nous ayons trouvé, par le biais de certains aliments, des excitants et des euphorisants (café, tabac, alcool), les moyens rapides de nous adapter aux contraintes physiques et psychiques d'une société compétitive et agressive.

124

Pour ouvrir les cercles vicieux dans lesquels nous sommes enfermés, pour mieux lutter contre ces dépendances, nous avons cherché à montrer dans ce livre qu'une approche plus globale, tenant compte de l'interdépendance des effets et des combinaisons de moyens, pouvait permettre d'atteindre et de conserver le contrôle d'un état d'équilibre relatif correspondant à notre norme personnelle, à notre autonorme. Il faut donc partir de soi, mieux connaître les moyens naturels que l'on peut combiner pour atteindre des effets amplifiés, sans commune mesure avec ce que l'on pourrait attendre de médicaments et de drogues apportés de l'extérieur.

L'important pour chacun est donc de définir son autonorme. Ne laissons pas la société définir pour chacun d'entre nous la « norme idéale ». Les régimes totalitaires ont toujours cherché à définir la norme individuelle afin de mieux dominer les individus. Même dans les pays où la liberté existe, la norme définie par la publicité ou l'imagerie populaire véhiculée par les médias (la jeune fille svelte, le jeune cadre dynamique, la voiture racée qui accroît votre statut social, ou même le Français moyen des statistiques) nous font trop souvent apparaître comme des individus stéréotypés et standard, que l'on peut manipuler avec trop d'aisance et de liberté. Même lorsque l'on publie dans les livres de diététique ou dans certains traités médicaux ce qui correspond à la « normalité » (taux de glucose dans le sang, taux de cholestérol, pulsations cardiaques par minute, tension artérielle, poids idéal en fonction de l'âge ou de la taille), on donne en fait la norme d'une population qui ne respecte pas, dans la majorité des cas, les règles les plus élémentaires de la diététique, qui fait peu d'exercice et fume trop de cigarettes. Le *normal* n'est pas toujours l'*optimal*. L'optimalité est définie par rapport à soi.

> *Trouver son équilibre optimal*
> *est la voie de l'autonomie.*

La recherche de l'autonomie est une voie vers plus de liberté individuelle, puis collective. Car elle passe par l'élimination des dépendances et l'apprentissage de l'autogestion. L'autogestion des collectivités et des organisations commence, à notre avis, par l'autogestion de son corps et de ses rapports avec la nature et avec les autres.

Pour arriver à définir son autonorme, il faut de la volonté, de la ténacité, de la patience et la mise en œuvre de moyens combinés bien compris, tels que l'alimentation, l'autodépollution et la recherche d'une voie personnelle vers le bonheur.

A côté de l'autonorme personnelle devrait exister, à notre avis, au niveau de la collectivité, un secteur entièrement consacré à la nutrition dans son ensemble. Nous avons proposé d'appeler ce nouveau domaine de recherche et d'action : *la nutritique*. C'est une discipline nouvelle centrée autour de la nutrition et de la diététique et s'appuyant sur la chimie, la biochimie, la biologie, la physiologie, la médecine, l'épidémiologie, les statistiques des populations. La nutritique sera probablement aussi importante pour le futur de l'humanité que le sont aujourd'hui les disciplines techniques extérieures à l'homme, telles que l'automatique, l'informatique ou la télématique.

Avec la nutritique, il ne s'agit plus tellement de comprendre et de dominer des machines *extérieures à nous-mêmes,* mais de définir des éléments permettant à chacun de mener sa vie selon ses goûts, ses possibilités, et dans la connaissance objective des éléments de base qui lui permettent de comprendre les processus fondamentaux de son organisme. Et aussi ses interactions avec le monde qui l'entoure. Il apparaîtra peut-être bien étrange à nos descendants de constater que nous avons vécu si longtemps sans avoir connu et appliqué les règles fondamentales de la nutritique.

La biologie jouera un rôle considérable dans l'avènement de la nutritique et dans la définition personnelle de l'autonorme. La biologie est l'école de la complexité. Elle se fonde sur les interdépendances, les antagonismes créateurs, les déséquilibres contrôlés et finement régulés. Elle est ouverte à la variété, aux moyens combinés. Elle approfondit le jeu des inhibitions ou des amplifications, intègre la durée et l'évolution.

Il est quelquefois intéressant de revenir à l'étymologie.

Écologie et économie ont la même racine grecque *(oikos)* d'où vient le préfixe *éco* et qui signifie : maison. L'écologie, c'est la *science de la maison* (*logos* : science) : de la maison terrestre, celle qui abrite l'homme, les espèces vivantes, animales et végétales, et les liaisons qui les unissent en tissant le réseau étroit de leur interdépendance.

L'économie, c'est la *règle de conduite d'une maison* (*nomos* : règle). La bonne gestion, c'est celle qui permet de « faire des économies », la judicieuse utilisation des ressources financières et peut-être bientôt énergétiques à l'échelle de notre maison écologique. Avec la notion d'économie d'énergie, écologie et économie se rejoignent.

La biologie, c'est la *science de la vie*, de tous les êtres vivants. En parallèle avec écologie et économie, on pourrait imaginer l'avènement d'une *bionomie*.

La bionomie, ce serait la *règle de conduite de la vie*. La découverte et la mise en pratique des règles simples qui gouvernent la « sagesse du corps ». Pour en tirer le meilleur parti, à la fois pour soi et pour son action sur son environnement.

De même que l'on apprend à être *économe* avec un budget familial, peut-être faudra-t-il apprendre à nos enfants à être *bionomes,* c'est-à-dire à connaître les règles de conduite de leur propre corps, afin d'économiser leur bioénergie personnelle, d'éviter une trop grande usure de la machinerie biologique de leur organisme et d'accroître la qualité de leur vie. Se ménager, c'est savoir s'autogérer. Le vieux terme français de « ménagement », qui signifiait la gestion du budget du foyer, nous est revenu des États-Unis avec la consonance moderne de « management », synonyme de gestion. La bionomie, c'est aussi le management du corps : l'autogestion de sa santé.

Peut-être sommes-nous biologiquement faits pour vivre cent ans ou cent vingt ans? Espérons en tout cas que quelques règles simples, comme celles que nous avons cherché à rassembler dans ce petit livre, pourront aider à vivre une vie pleine et riche

– même si elle est moins longue que ce que nous accorde la biologie –, mais qui ne se dégrade pas trop vite.

Aux années allongées d'une vie créatrice, il faut ajouter la qualité des instants vécus. C'est peut-être cette qualité-là qui, en définitive et pour chacune de nos vies, a plus de valeur que la seule durée – ou, comme le disent si joliment les statisticiens, que la seule « espérance de vie ».

Le guide
de l'anti-bouffe

Le film la Grande Bouffe,
*message de mort d'une société
de consommation,
est véritablement un film d'épouvante,
au sens le plus vrai du terme.*
(M. Porot, A. J. Coudert, M. Plenat)

Plan du guide anti-bouffe

Un bric-à-brac utile de bonnes adresses, de livres à lire et de jeux,
sans oublier un lexique et un glossaire pour les mots compliqués.

Tableau des calories contenues dans les viandes, poissons, œufs

aliments	calories *	portion	poids	calories
porc	330	1 côte de porc	80 g	264
saucisse de Francfort	300	1 saucisse	60 g	180
thon à huile	280	1 petite boîte	80 g	224
steak (bœuf)	260	1 steak haché 1 bifteck	100 g 100 g	260
jambon	250	1 tranche	30 g	75
mouton grillé	200	2 côtelettes de mouton	80 g	160
veau	160	1 escalope	≃ 80 g	128
œuf	150	1 œuf	≃ 50 g	75
poulet	110	1 cuisse	≃ 85 g	94
colin	80	1 tranche	≃ 100 g	80
sole	75	2 filets	≃ 120 g	90
charcuteries rillettes	600	1 petit carré	50 g	300
boudin grillé	490	1 boudin	120 g	588

* Pour 100 grammes d'aliments.

Tableau des calories contenues dans les céréales et dérivés

aliments	calories *	portion	poids	calories
biscuits (sablés)	460	5 biscuits	30 g	138
pâtes (crues) pâtes (cuites)	350 140	1 assiette	200 g	280
flocons d'avoine	350	1 bol	50 g	175
riz (cru) riz (cuit)	350 110	1 bol	200 g	220
muesli	330	1 tasse	30 g	99
son	300	1 tasse	25 g	75
pain complet	240	1 tranche	25 g	60
pain blanc	260	1 tranche	25 g	65
crêpe	190	1 crêpe	25 g	48
pain		1 tranche	25 g	65
beurre		1 noix de beurre	4 g	30
confiture		1 cuill. à café	8 g	23

* Pour 100 grammes d'aliment.

132

Tableau des calories contenues dans les corps gras, produits sucrés

aliments	calories *	portion	poids	calories
huile	900	1 cuill. à soupe	15 g	135
beurre	760	1 cuill. à café	6 g	46
pâte d'arachide	600	1 cuill. à café	7 g	42
chocolat	600	1 barre	40 g	240
mayonnaise fraîche	730	1 petite tasse	100 g	730
sucre	400	en morceaux 1 cuill. à café	5 g 5 g	20 20
miel	310	1 cuill. à café	8 g	25
confiture	280	1 cuill. à café	8 g	23
BOISSONS				
rhum	320	1/2 verre		320
porto	160	1 verre à porto		160
jus de fruit sucré	100	1 grand verre	200 g	200
vin rouge (10°) moyen	70	1/2 litre	500 g	350
jus de fruit frais	50	1 grand verre	200 g	100

* Pour 100 grammes d'aliment.

Tableau des calories contenues dans les légumes, salades

aliments	calories *	portion	poids	calories
lentille	330 (sec) 100 (cuit)	1 bol	200 g	660 200
haricot blanc	320 (sec) 95 (cuit)	1 bol	180 g	576 171
pomme de terre (bouillie)	80	1 belle pomme de terre	≃ 125 g	100
petit pois	55 (cuits)	1 bol	≃ 200 g	110
carotte	45	1 assiette	≃ 120 g	54
haricot vert	40	1 assiette	≃ 120 g	48
poireau	35	2 poireaux	≃ 120 g	42
champignon	25	1 bol de champignons de Paris (crus)	≃ 70 g	18
tomate	22	1 belle tomate	≃ 120 g	27
chou	18	5 feuilles	≃ 40 g	8
laitue	16	10 feuilles en salade avec huile	30 g	5 25
concombre	13	1/2 concombre moyen	200 g	26

* Pour 100 grammes d'aliments.

Tableau des calories contenues dans les fruits

aliments	calories *	portion	poids	calories *
noix	630	5 noix (avec coque)	25 g	158
noisettes	620	10 noisettes décortiquées	10 g	62
amandes	600	10 amandes séchées	8 g	48
raisins secs	290	1 cuillère à soupe (≃ 50 raisins)	10 g	29
avocat	170	1/2 avocat	110 g	187
banane	90	1 banane	120 g	108
raisins frais	70	1 belle grappe (≃ 50 raisins)	150 g	105
pomme	60	1 pomme	120 g	72
orange	45	1 orange	150 g	68
pamplemousse	42	1/2 pamplemousse	240 g	101
melon	15	1/4 de melon	230 g	35

* Pour 100 grammes d'aliment.

135

Tableau des calories contenues
dans les lait et fromage

aliments	calories *	portion	poids	calories
gruyère	390	1 tranche moyenne	60 g	234
crème chantilly	320	1 petit pot	100 g	320
camembert	300	1 portion moyenne	30 g	90
fromage fondu	280	1 portion (1/8)	25 g	70
crème glacée ou chocolat	220	1 cornet 1 tasse	60 g 170 g	132 374
fromage blanc	120	1 tasse	150 g	180
yaourt aux fruits sucré	120	1 pot	120 g	144
yaourt nature	60	1 pot	120 g	72
lait entier	65	1 grand verre	250 g	163
lait demi-écrémé	50	1 grand verre	250 g	125

* Pour 100 grammes d'aliment.

Tableau du contenu en cholestérol d'aliments courants

aliments	cholestérol
cervelle	2 200 mg
jaune d'œuf	1 600 mg
rognons	400 mg
foie	350 mg
caviar	300 mg
beurre	250 mg
crabe	125 mg
huîtres	100 mg
fromage	90 mg

NE PAS DÉPASSER 300 mg par jour

Les autres aliments courants ont généralement des contenus en cholestérol inférieurs à 80 mg/100 g.

* Pour 100 grammes d'aliments.

Tableau des aliments à rechercher

Cette liste n'est évidemment pas exhaustive. Son but est de suggérer des aliments à rechercher pour leur qualité nutritionnelle. Ce n'est pas parce qu'un aliment ne figure pas sur la liste qu'il ne faut pas en manger!

A abricots
  amandes
  asperges
  avoine

B bananes
  betteraves
  bœuf
  brocolis

C carottes
  céleris
  cerises
  champignons
  choucroute
  choux
  choux Bruxelles
  choux-fleurs
  citrons
  citrouilles
  concombres
  courgettes

D dattes
  dinde

E endives
  épinards

F farines complètes
  fenouil
  fèves

figues
fraises
framboises
fromages
fruits secs

G germe de blé
  germe de soja
  goyave
  graines
  de sésame
  graines de tour-
  nesol
  gruau

H haricots
  (toutes formes)

L lait écrémé
  laitue
  lentilles

M maïs
  mandarines
  melon
  miel

N navets
  noisettes

O oignons
  oranges
  orge

P pain
  pamplemousse
  papaye
  pâtes aliment.
  pêches
  persil
  piment
  pois
  poisson
  pommes
  pommes de
  terre
  potages
  poulet
  prunes

R radis
  raisins
  rhubarbe
  riz complet
  rutabaga

S sarrasin
  soja
  son

T tomates
  topinambour

V veau

Y yaourt

Menus

Petits déjeuners

ILS DOIVENT COMPORTER

- des céréales et dérivés (pain, flocons d'avoine, muesli)
- des protéines animales (lait, fromage, yaourt ou œuf)
- des fruits et/ou des jus de fruits
- des matières grasses et des sucres (en petites quantités)

VOICI UN EXEMPLE

(Il reste évidemment à équilibrer les proportions pour ajuster les calories. Moyenne recommandée : 250 à 600 cal.)

1 boisson chaude (thé, café, peu sucré)
ou 1 grand verre de lait
ou 1 jus de fruit (*ou* 1 verre d'eau)

1 assiette de céréales au lait (flocons d'avoine, semoule de blé complet ou muesli), avec du son, *et/ou* 2 tranches de pain complet

et/ou (selon goûts et appétits) 1 œuf (pas plus de 5 ou 6 par semaine, en tout)
ou du fromage avec du pain
ou 1 yaourt nature

un peu de beurre sur le pain,
ou margarine
et/ou confiture (*mieux,* miel, mélasse)
et/ou 1 fruit frais (pomme, raisin)
et/ou fruit séché (abricot, figue, raisin)

139

CONSEILS

Un moyen rapide de mélanger la plupart de ces éléments est de prendre du muesli avec du lait et du son (voir p. 154). Il contient en effet :
- des céréales (orge, avoine, millet, seigle),
- des fruits (pommes séchées, raisins, noisettes, amandes),
- du germe de blé, du miel.
Un bol complet de muesli avec du lait représente environ 250 cal.

A ÉVITER

- trop de café
- trop de sucre et de confiture
- trop de beurre
- trop d'œufs et de bacon

Souvenez-vous qu'un sandwich de pain et de fromage, accompagné d'un peu de lait, possède une valeur nutritionnelle bien supérieure à celle d'un croissant ou d'une pâtisserie accompagnés d'un café noir.

EXEMPLES

lundi
1 verre de lait écrémé
1 œuf coque
3 tranches de pain complet avec un peu de miel
1 morceau de gruyère
1 pomme

mardi
thé au citron (1 sucre)
1 yaourt nature avec des raisins secs
1 assiette de flocons d'avoine avec du son
1 tranche de pain grillé complet
1/2 verre de lait

140

mercredi

1 bol de Bircher muesli, avec, en plus, des raisins secs, 1 yaourt mélangé, 2 cuillerées de son
1 morceau de fromage
1/2 pomme
thé au lait

jeudi

1 assiette de semoule de blé au lait (avec du son)
1 œuf coque
1 jus d'orange nature
2 tranches de pain complet avec du miel

vendredi

1 verre de lait écrémé
son avec raisins secs et 1 banane coupée + lait
1 morceau de gruyère et 2 tranches de pain complet
noisettes et abricots secs

samedi

thé au lait
muesli avec banane
jus de fruit
noisettes, abricots secs
3 tranches de pain complet

dimanche

anglo-saxon :
brunch (breakfast + lunch), à prendre vers 11 h 30/12 h :
1 jus de fruit
2 œufs brouillés à la tomate avec 2 tranches de pain complet
1 bol de muesli mélangé avec
1 yaourt, des raisins secs
thé au lait
fromage et fruits
noisettes

Snacks casse-croûte

Complément des trois principaux repas : 50 à 150 calories. Heures possibles : 11 h, 16 h, 22 h

EXEMPLE

matin
1/2 verre de lait   *ou*   1 jus de fruit nature
biscuits   5 amandes sèches

après-midi
1 fruit   *ou*   1 thé au lait
1 petit morceau de fromage   toasts, miel

soir
1 toast   *ou*   1 morceau de gruyère
noisettes, raisins secs   1/2 verre de lait
1/2 verre de lait   1/2 pomme

EXEMPLES DE SNACKS OU PETITS REPAS
DE 50 A 150 CALORIES

50 calories et moins
1 pomme

1 orange

1 mandarine

1/2 banane

10 cerises

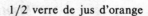

1/2 verre de jus d'orange

10 feuilles de salade

50 à 150 calories
1 tasse de consommé de bœuf
+ 10 crackers *(70 cal.)*

1 tasse bouillon de poulet
3 bâtonnets de pain *(70 cal.)*

1 cuisse de poulet *(90 cal.)*

1 yaourt nature *(70 cal.)*

1 banane *(100 cal.)*

100 à 150 calories
2 cuillerées à soupe de raisins secs
+ 2 biscuits *(110 cal.)*

1 petit hamburger sur un pain
avec oignon *(140 cal.)*

1 tranche de rôti de bœuf *(150 cal.)*

1/2 verre de lait écrémé
+ 2 sardines déshuilées *(150 cal.)*

143

Menus équilibrés
(à base d'aliments simples)

Journée à 1 000 calories

petit déjeuner
1 œuf coque
1/2 verre de lait demi-écrémé
1 tranche de pain complet
légèrement beurré (margarine)
1/2 banane
1 verre d'eau

snack (11 h)
1 fruit

déjeuner
1 aile de poulet
choux de Bruxelles
1/2 tasse de riz
1 poire
2 verres d'eau

snack (17 h)
1 fruit

dîner
1 filet de poisson
2 pommes de terre moyennes
1 tasse de carottes
salade de laitue
1 verre de lait demi-écrémé
1 grappe de raisin

snack souper (22 h)
1 fruit

Journée à 2 500 calories

petit déjeuner
1 pamplemousse
4 tranches de pain complet
légèrement beurré + miel
1 verre de lait demi-écrémé
1 bol de muesli

snack (11 h)
1 fruit
4 biscuits aux céréales complètes

déjeuner
1 petite boîte de thon (naturel)
carottes râpées/tomates
1 escalope de veau
1 bol de macaronis parmesan
1 banane
2 verres d'eau

snack (17 h)
1 fruit
2 tranches de pain complet
eau ou thé légèrement sucré

dîner
potage légumes
1 sole meunière entière avec
5 pommes de terre moyennes
salade mélangée
1 fromage
1 fruit
1 verre de lait demi-écrémé

snack souper (22 h)
1 pomme
qqs noisettes et abricots secs
1/2 verre de lait

Menus végétariens
(à partir d'aliments simples et faciles à préparer)

Journée à 1 000 calories	Journée à 2 000 calories
petit déjeuner 1 jus d'orange 1 tranche de pain complet 1/2 verre de lait demi-écrémé thé citron	**petit déjeuner** 1 pomme 3 tranches de pain complet avec beurre et miel 1 gd verre de lait demi-écrémé noisettes et amandes
snack (11 h) 1/2 verre de lait demi-écrémé	**snack (11 h)** 1 fruit 5 biscuits aux céréales complètes 1 verre d'eau
déjeuner 1 œuf coque assiette mélange riz complet, noix, pois, maïs, pommes fromage 1 fruit	**déjeuner** maïs en épis salade mélangée macaronis au gratin (fromage) noisettes, amandes, raisins secs 1 tranche de gruyère 1 verre de lait écrémé
snack (17 h) 1 fruit	**snack (17 h)** 1 fruit 1/2 tasse de muesli au lait
dîner potage légumes salade de betteraves, mâche, champignons, noix, cresson, endives, pommes 1 yaourt 1 fruit 1 verre de lait demi-écrémé	**dîner** potage légumes pizza à la farine complète (tomate, champignons) plat de carottes, choux de Bruxelles, haricots verts fromage, fruit 2 verres de lait demi-écrémé
snack (22 h) 1/2 verre de lait biscuits aux céréales complètes	**snack (22 h)** 1 verre de lait raisins secs 1 tranche gruyère 1 pomme

Quelques
recettes végétariennes

pour des plats faciles à préparer
et mettant en œuvre la complémentation

SI VOUS N'AVEZ QUE
DU PAIN, DU FROMAGE ET DES ŒUFS

« Faux soufflé » au fromage ultra-rapide

──────➤ *Complémentation : lait + blé*

---

*1 portion = environ 20 g de protéines, soit 30-40 % de la dose de
protéines quotidienne nécessaire.*

---

5 personnes

Mettez en couches alternées dans un plat beurré 3 tasses de fromage
râpé, 4-6 tranches de pain complet, coupées en deux.
Versez par-dessus 2 tasses de lait.
Mélangez séparément et versez également sur le pain 3 œufs battus,
1/2 cuillerée à café de sel, 1/2 cuillerée à café de Worcestershire
sauce *, 1/2 cuillerée à café de thym, du poivre.
   Laissez reposer pendant vingt minutes. Puis mettez au four pendant
une heure à 350°. Le plat doit être posé dans le four sur un plat d'eau
chaude. Ce plat, tellement simple à préparer, est en fait très raffiné.
Quand vous le sortirez du four, vous serez étonné par sa présentation.
Cuit dans un plat profond, il a l'apparence d'un soufflé, dans un plat
creux, il ressemble à une quiche.

   * Cette sauce est relativement facile à trouver en France, en tout cas à Paris.
Elle donne beaucoup de goût aux plats.

Œufs au curry sur toast (ou riz)

➤ *Complémentation : blé + produits laitiers*

---

1 portion = environ 16 g de protéines, soit 25-35 % de la dose de protéines quotidienne nécessaire.

---

4 à 6 personnes

Préparez à l'avance 6-8 œufs durs, 1/2 tasse de fromage râpé, 4-6 tranches de pain complet ou 1 1/2 tasse de riz (3-4 tasses de riz cuit).

Sur feu doux, faites fondre 2 cuillerées à soupe de beurre, et ajoutez, en remuant pendant deux minutes 3 cuillerées à soupe de farine, 1 cuillerée à soupe de poudre au curry (plus ou moins, selon le goût).

Puis ajoutez lentement et cuisez cinq minutes, en remuant 1/4 tasse sherry, 2 tasses de lait, sel et poivre, 1/2 tasse de fromage râpé (ou plus, si vous le souhaitez).

Garnir avec du persil frais haché.

La sauce peut vous sembler un peu légère au début, mais elle s'épaissira en cuisant. Placez les œufs, coupés en deux, dans un plat beurré. Couvrez avec la sauce de curry. Saupoudrez avec le fromage râpé. Cuisez à 350° pendant vingt minutes. Servez sur le toast (ou riz), et saupoudrez avec le persil haché. Ce plat est délicieux avec des épinards, des asperges ou des brocolis.

SI VOUS N'AVEZ QUE
DE LA FARINE, DES PÂTES, DU LAIT,
DES ŒUFS ET QUELQUES LÉGUMES

Crêpes aux légumes

➤ *Complémentation : produits laitiers + blé et produits laitiers + graines de sésame*

4 à 5 personnes

Ayez prêts des crêpes faites de farine complète + graines de sésame. Pour garnir les crêpes, choisissez parmi des légumes frais 3 tasses de champignons, asperges, brocolis, choux-fleurs, oignons, poivrons verts, petits pois (dans n'importe quelle combinaison).
La sauce blanche est faite de 3 cuillerées à soupe de beurre, 3 cuillerées à soupe de farine, 3 tasses de lait, sel et poivre.
Ajoutez selon votre choix 2 tasses de champignons, émincés et sautés, 1 1/2 tasse de fromage râpé, 1/2 tasse de parmesan (ou plus), 2 tasses d'épinards hachés, 1/2 tasse de persil.

Ajoutez votre choix d'herbes : basilic, thym, romarin, poivre, Worcestershire sauce. Garnir les crêpes avec un choix de : persil, graines de sésame toastées, parmesan, olives émincées, paprika. Mettez un peu de sauce et les légumes finement hachés de votre choix dans chaque crêpe. Roulez et versez le reste de la sauce blanche sur toutes les crêpes garnies.

Pour faire la pâte des crêpes
Mélangez 2/3 tasse de farine complète, 1/2 cuillerée à café de sel.
Battez 2 tasses de lait, 2 œufs, 2 cuillerées à soupe d'huile.
Combinez la farine avec le liquide, et ajoutez 2 cuillerées à soupe de graines de sésame moulues.
Faites les crêpes selon votre habitude.

Champignons Strogonoff

⟶ *Complémentation : blé + produits laitiers*

Préparez à l'avance 250 g de nouilles plates aux œufs.
Faites sauter 1 cuillerée à soupe de beurre, 1 petit oignon finement haché, 250 g de champignons coupés en deux (s'ils sont petits, laissez quelques champignons entiers), 1 à 2 têtes d'ail écrasées.
Ajoutez 2 cuillerées à soupe de persil frais ou 1 cuillerée à soupe de persil séché quand l'oignon est presque cuit.
Ajoutez en remuant 1 cuillerée à café de Worcestershire sauce (si vous n'en avez pas, ce n'est pas obligatoire).
Enlevez du feu et, juste avant de servir, ajoutez en remuant 1 tasse de fromage blanc bien mélangé avec 1/2 tasse de yaourt, sel et poivre.

Servez de suite sur les nouilles chaudes et garnir avec du persil. Vous pouvez servir également une salade verte pour accompagner ce plat.

Soupe complète aux carottes, oignons et riz

⟶ *Complémentation : riz + lait*

---

1 portion = 6 g de protéines, soit 10-12 % de la dose de protéines quotidienne nécessaire.

---

4 personnes
Dans une casserole lourde ou dans une cocotte-minute, faites revenir à feu doux pendant environ cinq minutes, 3 cuillerées à soupe de beurre, 4 ou 5 carottes émincées, 1 oignon haché, 1 cuillerée à café de sel, 1 cuillerée à soupe de sucre.
Ajoutez d'abord en remuant bien 1/2 tasse de riz.
Puis ajoutez 4 tasses de bouillon de légumes ou, à défaut, de l'eau assaisonnée (sel, poivre).
Tenez prêts 1 tasse de lait chaud, plus un petit peu de lait en poudre (pour les protéines) et des croûtons.

Cuisez assez longtemps pour que le riz soit très bien cuit. Vous pouvez mettre le potage dans le mixer (ou la moitié seulement, pour que la soupe soit plus épaisse). Remettez le tout dans la casserole et ajoutez autant de lait chaud que vous le désirez ainsi qu'un petit morceau de beurre. Ne pas laisser bouillir.

Soupe aux lentilles

1 portion = environ 8 g de protéines, c'est-à-dire 13-16 % de la dose de protéines quotidienne nécessaire.

4 à 6 personnes

Dans une grande casserole, faites sauter de trois à cinq minutes 1/4 tasse d'huile d'olive, 2 gros oignons coupés en morceaux, 1 carotte coupée en morceaux.
Ajoutez, et cuisez encore une minute 1/2 cuillerée à café de thym, 1/2 cuillerée de feuilles de marjolaine.
Ajoutez 3 tasses de bouillon ou de l'eau assaisonnée, 1 tasse de lentilles sèches lavées, du sel, 1/4 tasse de persil frais haché, 1 boîte (de 500 g) de tomates entières.
Cuisez dans la casserole en couvrant pendant à peu près quarante-cinq minutes, puis ajoutez 1/4 tasse de sherry.
Ayez prêts 2/4 tasse de fromage râpé.

Pour servir, ajoutez 2 cuillerées à soupe de fromage râpé dans chaque assiette et versez la soupe par-dessus. Cette soupe est délicieuse avec des galettes de maïs.

SI VOUS AIMEZ
LES SALADES QUI CONSTITUENT UN VRAI REPAS

Salade de riz exotique

⟶ *Complémentation : riz + produits laitiers, cacahuètes + produits laitiers*

4 personnes

Ayez prêtes 3 ou 4 tasses de riz cuit et tiède (ce qui représente à peu près 1 1/2 tasse).
Mélangez 1/2 tasse de céleri coupé en morceaux moyens, 1/2 tasse de cacahuètes coupées en morceaux, 1 1/2 tasse de yaourt, 2 cuillerées à soupe de chutney.
Mélangez dans un saladier.

Servez éventuellement avec des tranches de betteraves coupées et des rondelles de concombre à la vinaigrette.

Super-salade de légumes « carrousel végétal »

⟶ *Complémentation : haricots + produits laitiers, pommes de terre + produits laitiers*

4 personnes

À préparer séparément et à déguster en même temps

1. POMMES DE TERRE
6 pommes de terre (moyennes) cuites et coupées en lamelles et tièdes, 2 tiges de céleri coupées en morceaux, 1 ou 2 oignons finement hachés, ou 1/4 tasse de persil haché (ou les deux ensemble), 1/4 tasse de cornichons doux coupés, 150 à 250 g de gruyère coupé en dés.

2. LENTILLES ET CHAMPIGNONS
1 tasse de lentilles cuites avec un oignon et une feuille de laurier jusqu'à devenir tendres (mais pas « en bouillie » ou enlevez l'oignon après

151

cuisson), 2 tiges de céleri coupé en morceaux, 1 ou 2 oignons finement hachés, 150 à 250 g de fromage de Munster (si possible) coupé en gros morceaux, 1/4 tasse de persil haché finement, 120 g de champignons crus coupés en lamelles.

3. MAÏS ET SOJA

Coupez en petits morceaux endives (ou céleri), radis, pommes.
Ajoutez gruyère en petits dés, maïs (1 boîte), germes de soja, noix (à votre goût), raisins secs, graines de sésame, graines de tournesol.
Accommodez avec de la mayonnaise ou à l'huile et au vinaigre.

EXEMPLES DE PLATS ENRICHIS EN SON
POUR CEUX QUI NE PEUVENT SE PASSER DE VIANDE

Pain de viande

6 personnes

600 g de viande hachée, 1 tasse de chapelure, 3/4 tasse de son, 1 œuf, 1 tasse de lait, 1 cuillerée à café d'ail en poudre, 1 cuillerée à soupe de Worcestershire sauce, 1/2 cuillerée à café de thym et de sauge, sel et poivre.

Mélangez bien les ingrédients en ajoutant autant de lait que nécessaire pour que la mixture soit onctueuse. Mettez dans un moule à pain. Ajoutez un peu de beurre et cuisez à 350° pendant un quart d'heure, une demi-heure.

(Pour faire des croquettes, utilisez la même recette, mais roulez les boulettes dans de la chapelure et faites frire au beurre à petit feu).

Variante : *Pain de viande à l'italienne*
Supprimez le lait, la Worcestershire sauce, la sauge et le thym.
Ajoutez à la place 1 cuillerée à soupe d'origan, 1/2 cuillerée à café de fenouil, 1/4 de tasse de parmesan, 1 grande boîte de tomates pelées entières, y compris le liquide de la boîte de tomates. Ajoutez le parmesan et un peu de beurre. Cuisez comme pour l'autre recette.

152

Hamburgers

1 kg de viande hachée, 2 œufs, 3/4 tasse de son, 1/4 tasse d'oignon haché, sel et poivre.

Bien mélangez les ingrédients. Ajoutez un peu de lait si nécessaire. Partagez en six portions, faites frire à la poêle.

Variantes : *Boulettes*
Même recette, mais faites de petites boulettes et faites frire à la poêle.

Oriental hamburgers ou boulettes
Ajoutez 2 cuillerées à soupe de soja, 1 cuillerée à café de gingembre (en poudre), 1 cuillerée à soupe de sherry, 1 cuillerée à café d'ail.

Italien
Ajoutez 1/2 cuillerée d'origan, 1/4 de cuillerée à café de fenouil, 2 cuillerées à soupe de parmesan et humectez avec un peu de jus de tomate ou de sauce tomate.

Sauce de spaghetti ultra-rapide

8 personnes

1/4 tasse d'huile d'olive, 2 oignons moyens, finement hachés, 500 g de bifteck haché, 2 grandes boîtes de tomates entières pelées au jus, 1 grande boîte de sauce tomate, 1 tasse de son, 1/4 tasse de parmesan, 1 feuille de laurier, 1 cuillerée à café de basilic ou d'origan, 1/2 cuillerée à café de fenouil, 1/2 cuillerée à café de poivre noir, de l'ail (ou de l'ail en poudre), 1/4 tasse de vin rouge, ou 2 cuillerées à soupe de jus de citron.

Faites dorer les oignons, ajoutez la viande et cuisez. Ajoutez ensuite les tomates, la sauce tomate, le son, le fromage et les épices. Ajoutez à la fin le vin ou le citron. Laissez mijoter quinze minutes. Servir avec les spaghetti.
On peut ajouter du son dans le riz blanc, les semoules, les potages, les légumes, les sauces.

Où trouver le son et le muesli

Voici la liste des principales marques que l'on peut trouver dans les magasins diététiques et de régime ou dans certaines pharmacies.

MUESLI	SON
Alpen	All Bran
Bossy	Actisson
Céréal	Arche de Vie
Country store	Cayla
Demeter	Céréal
Familia	Finck
Favrichon	Gerblé
Heidorn	Granosson
Lima	Jacq'Son (pain au son)
Luti	Pruno Son
	Regison
	Le son de Cologne

Les restaurants anti-bouffe

Il existe de nombreux restaurants qui servent une cuisine généralement légère, pauvre en graisses, en sauces ou en épices. Certains sont végétariens, d'autres végétaliens ou macrobiotiques. D'autres encore sont dirigés par les chefs de file de la « nouvelle cuisine ». Certains d'entre eux, en effet, cherchent à relier gastronomie et diététique et adoptent une attitude typiquement « anti-grande bouffe ».

QUELQUES DÉFINITIONS

Macrobiotique. Fondée sur les céréales et surtout sur le riz complet. Pas de viande, mais autorise les produits de la mer, les œufs, les produits laitiers et les matières grasses. Riche en légumes et fruits.

Végétarien. Pas de viande ni de poisson. Accepte les œufs, les produits laitiers, le fromage. Céréales, légumes secs, légumes verts, fruits frais et fruits secs constituent la base de l'alimentation végétarienne.

Végétalien. Aucun aliment d'origine animale. Les seuls aliments autorisés sont les céréales, les légumes verts et les légumes secs, les fruits, les fruits secs, les noix et les graines. Ni lait, ni fromage, ni beurre (danger de manque de calcium).

Mixte. Propose les trois formes d'alimentation. Autorise la viande.

Nouvelle cuisine. Plats généralement légers, peu de sauces, légumes bouillis, viandes bouillies, arômes naturels, redécouverte des combinaisons de légumes.

RESTAURANTS ANTI-BOUFFE

Pour des listes complètes de restaurants anti-bouffe incluant la province, vous pouvez consulter :

- Le numéro spécial de *La Voix des végétariens*. Liste d'hôtels, de pensions, de restaurants végétariens ou mixtes en France et dans quelques pays voisins (avril 1979).

Écrire à l'Association végétarienne de France, siège social provisoire : 140, boulevard Voltaire, 75011 Paris.

- *Le Guide des points de vente en Ile-de-France des aliments biologiques*. Document spécial *Nature et Progrès,* n 18 (le guide donne les adresses et téléphones de magasins, boulangeries, restaurants diététiques, etc.). Nature et Progrès, 53, rue de Vaugirard, 75006 Paris.

FABRICANTS DE PRODUITS DIÉTÉTIQUES

Pour la liste des fabricants de produits diététiques, consultez :
- Union nationale syndicale des détaillants spécialisés en produits diététiques, 163, rue Saint-Honoré, 75001 Paris (tél. 261-49-87).

Pour les listes de magasins, consulter :
- Les guides de Nature et Progrès.

Associations et fondations

Association des diététiciens de langue française
 Cofratel, 17, rue Henri-Bocquillon, 75015 Paris - Tél. 575-34-71.
 Présidente : Mme Casamitjana.

Association française de nutrition
 72, rue de Sèvres, 75006 Paris - Tél. 567-83-43
 Président : M. Rérat.

Centre d'études et de recherches nutritionnelles de l'institut Pasteur de Lyon (CERNIP)
 Institut Pasteur de Lyon, 77, rue Pasteur, 69365 Lyon Cedex 2.
 Directrice : Michèle Bourgeay-Causse.

Centre médecine et diététique
 Hôpital Saint-André, 33000 Bordeaux.
 Pr Traissac. Secrétaire général national : M. Paccalin.

Centre national de coordination des études et recherches sur la nutrition et l'alimentation (CNERNA)
 72, rue de Sèvres, 75006 Paris - Tél. 567-83-43
 Directeur : Pr A. François.

Centre de recherches Foch
 4, avenue de l'Observatoire, 75006 Paris
 Président : Pr Gounelle de Pontanel.

CERTIA (Centre d'études et de recherches technologiques des industries alimentaires).
 Institut Pasteur de Lille, 20, boulevard Louis-XIV, 59000 Lille.
 Pr Henri Leclerc.

Comité français d'éducation pour la santé
    9, rue Newton, 75116 Paris - Tél. 723-72-07.
    Directrice : Mme Buhl.

Comité français d'information et d'éducation diététiques
    Hôpital Saint-Michel, 33, rue Olivier-de-Serres, 75015 Paris.
    Dr A. Creff.

Conservatoire national des arts et métiers (CNAM)
    292, rue Saint-Martin, 75141 Paris Cedex 03 - Tél. 271-24-14.
    Dr Henri Dupin.

Fondation française de la nutrition
    71, avenue Victor-Hugo, 75016 Paris - Tél. 533-69-49.
    Pr Pierre Royer.

Institut de diététique de la faculté Broussais-Hôtel-Dieu
    Hôpital de l'Hôtel-Dieu, 1, parvis de Notre-Dame, 75004 Paris
    Tél. 329-12-29.
    Pr Henri Bour.

Institut niçois de nutrition alimentation
    Hôpital Pasteur, rue de la Voie romaine, 06 Nice -
    Tél. (16) 93-81-71-71.
    Président : Pr Delmont.

Nutridiem
    40, rue Le-Lionnais, 54 Nancy.
    Pr G. Debry.

Société de nutrition et de diététique de langue française
    194, rue de Rivoli, 75001 Paris - Tél. 260-30-12.
    Président : Pr Yves Denard. Secrétaire général : Dr Lambert.

Société scientifique d'hygiène alimentaire
    16, rue de l'Estrapade, 75005 Paris - Tél. 325-11-85.
    Président : Dr Guy Ebrard.

Syndicat national des diététiciens
    95, rue de La Loubière, 13005 Marseille - Tél. (16) 91-48-10-45.
    Mme Yvonne Marie.

Principales publications scientifiques

françaises et étrangères traitant de nutrition et diététique

LANGUE FRANÇAISE

Annales de nutrition et d'alimentation, CNERNA, CNRS,
72, rue de Sèvres, 75006 Paris (tél. 567-83-43).
L'Alimentation et la Vie,
Bulletin de la Société scientifique d'hygiène alimentaire,
16, rue de l'Estrapade, 75005 Paris (tél. 325-11-85).
Alimentation et Nutrition (revue française)
Éditée par l'ONU pour Alimentation Agriculture
Cahiers de nutrition et de diététique (TEST)
194, rue de Rivoli, 75001 Paris (tél. 260-30-12).
Diététique d'aujourd'hui – Collectivités,
4, rue du Faubourg-Montmartre, 75009 Paris (tél. 246-89-22).
Diététique et Médecine, Société d'études thérapeutiques et diététiques,
32, boulevard Antoine-Gautier, 33000 Bordeaux.
Information diététique, association des diététiciennes de langue française, Cofratel, 17, rue Henri-Bocquillon, 75015 Paris (tél. 575-34-71, après-midi).
Médecine et Nutrition, La Simarre,
11, rue de la Bourde, 37000 Tours (tél. (16) 47-20-65-30).
Revue française de diététique,
Syndicat national des techniciens supérieurs en diététique,
95, rue de La Loubière, 13005 Marseille (tél. (16) 91-48-10-45).
Santé de l'homme,
Comité français d'éducation pour la santé,
9, rue Newton, 75116 Paris (tél. 723-72-07).

LANGUE ANGLAISE

American clinical Nutrition
American Journal of clinical Nutrition
British Journal of Nutrition
Gut
Journal of applied Nutrition
Journal of human Nutrition
Metabolism
Nutrition today
The Journal of Nutrition
et toujours *Nature, Science, Lancet.*

Quiz

vrai ou faux?

	AFFIRMATIONS	VRAI	FAUX
1	Il faut manger de la viande deux fois par jour.		
2	Les protéines végétales ont une qualité inférieure aux protéines animales.		
3	On doit manger des œufs tous les jours au petit déjeuner.		
4	Six œufs contiennent autant de protéines que 200 g de steak haché.		
5	Un avocat est riche en graisses et donc en calories.		
6	Le lait écrémé a une qualité nutritionnelle inférieure à celle du lait entier.		
7	Le poisson contient moins de protéines que la viande.		
8	Un demi-litre de vin contient l'équivalent en calories de seize morceaux de sucre.		
9	Le sel est une des principales causes de l'hypertension.		
10	Les pommes de terre font grossir.		
11	Les graisses végétales sont moins dangereuses que les graisses animales.		
12	Un mélange de riz et de lentilles est plus riche en protéines que le riz ou les lentilles mangés séparément à deux repas.		
13	Le pain, c'est du sucre à assimilation lente.		
14	Le poulet est moins nutritif que le bifteck.		
15	Les œufs font mal au foie.		
16	Pour maigrir, il faut manger des grillades, de la salade, et supprimer le pain et l'eau.		
17	Le beurre cru est moins nocif que le beurre cuit.		

161

AFFIRMATIONS	VRAI	FAUX
18 Le problème de la constipation pourrait être résolu par une consommation accrue de fibres végétales.	—	
19 Le café est bon pour la santé.		—
20 Le vin rouge fortifie.		—
21 Boire de l'eau fait grossir.		—
22 Quand on a trop mangé, il est recommandé de sauter un ou deux repas.		—
23 Deux verres d'orangeade sucrée (commerciale) contiennent autant de calories que 250 g de pommes de terre.		
24 Les maladies de cœur ne sont pas une fatalité due à l'âge.		
25 La seule boisson nécessaire à l'homme l'eau.		

« Quiz » réponses

1 FAUX Les viandes contiennent des graisses cachées, une des principales causes des maladies cardio-vasculaires. Les combinaisons de végétaux, les œufs, le lait, le poisson ou les volailles apportent toutes les protéines quotidiennes nécessaires.

2 VRAI Mais *combinées*, les protéines végétales peuvent conduire à une qualité nutritionnelle *supérieure* à celle de la viande.

3 FAUX Il n'est pas recommandé de manger des œufs tous les jours. Le jaune d'œuf renferme 1600 mg de cholestérol pour 100 g, et la dose quotidienne maximale est de 300 mg.

4 VRAI Mais attention à la remarque précédente.

5 VRAI Un bel avocat représente près de 360 calories, l'équivalent de 18 morceaux de sucre (sans compter l'huile de la vinaigrette!).

6 FAUX Le lait écrémé contient la même quantité de protéines animales, de vitamines et de calcium que le lait entier, avec, en moins, les graisses.

7 FAUX Le poisson est aussi riche en protéines que la viande et ne contient pratiquement pas de graisses.

8 VRAI Un demi-litre de vin représente près de 320 calories.

9 VRAI   Mais ce n'est pas la seule. Interviennent aussi l'artériosclérose ou certaines maladies des reins.

10 VRAI   Mais pas totalement! En manger raisonnablement contribue à apporter de l'énergie avec un assez faible apport calorique. Le danger, ce sont les pommes à l'huile et surtout les frites ou les chips.

11 VRAI   Elles sont plus riches en acides gras insaturés qui réduisent les risques de maladies cardio-vasculaires.

12 VRAI   Leurs protéines se complètent en renforçant leur valeur nutritionnelle.

13 VRAI   Il est constitué par de longues molécules de sucre lentement assimilées par le corps.

14 FAUX   Les volailles contiennent toutes les protéines essentielles à l'organisme et sont moins riches en graisses (sauf la peau).

15 FAUX   Tout dépend du mode de cuisson des œufs : une omelette cuite à l'huile est plus « lourde » qu'un œuf à la coque.

16 FAUX   Les grillades renferment des graisses; la salade est faite à l'huile. Quant à supprimer le pain et l'eau, cela conduit à l'hypoglycémie (et à rechercher le sucre) ainsi qu'à la constipation et, chez certaines personnes, à la cellulite.

17 FAUX   Il est tout aussi gras que le beurre cuit. Il est peut-être moins « lourd » à digérer.

18 VRAI   L'effet est démontré. Utiliser des laxatifs en permanence représente un réel danger.

19 FAUX   Le café est une drogue puissante. S'il ne cause pas de problèmes majeurs en faible quantité, sa consommation excessive peut avoir des conséquences néfastes : insomnie, perte d'appétit, instabilité, voire maladies cardiaques et défauts génétiques.

20 FAUX   Le vin et l'alcool en général renferment des calories « vides » qui ne « fortifient » rien dans les cellules.

21 FAUX   On devrait boire huit à dix verres d'eau par jour. Associée aux fibres non digestibles, l'eau accroît le volume des selles.

22 FAUX   Le résultat est souvent à l'opposé du but recherché. Les nutriments sont utilisés par l'organisme de façon différente selon les heures de la journée et selon leur combinaison.

23 VRAI   Un grand verre d'orangeade de 250 cl contient en fait 50 g de sucre (soit dix morceaux), ce qui représente 200 calories.

24 VRAI   Elles dépendent, en grande partie, du mode de vie.

25 VRAI   L'usage des autres boissons ne se justifie que par la recherche de stimulations (alcool, café) ou de plaisirs gustatifs résultant d'un conditionnement social (boissons sucrées ou gazeuses).

Notes
références
et remarques

Les références bibliographiques et les remarques sont ici regroupées chapitre par chapitre. Le nom de l'auteur et la date renvoient à la bibliographie. Cette bibliographie est divisée en trois sections :

1. *Livres et articles généraux ou grand public*, généralement rédigés sous une forme accessible aux non-spécialistes.

2. *Livres et articles spécialisés*, ouvrages médicaux, traités de nutritionnistes, rapports d'experts.

3. *Articles dans des revues spécialisées*, extraits de revues scientifiques et techniques à l'usage des spécialistes. Les références indiquent le numéro de la section où le nom de l'auteur apparaît par ordre alphabétique.

Introduction

Certains des éléments de base de l'introduction sont inspirés d'Apfelbaum et Lepoutre (1978) (1), et de Debry (1978) (1), p. 14.

L'influence de l'alimentation sur le fonctionnement du cerveau fait l'objet de recherches qui se sont considérablement développées ces cinq dernières années. Voir surtout : Wurtmann et Fernstrom (1976), Wurtmann (1079) (3) et aussi Kolata (1979) (3), Rawls (1978) (3).

Chapitre 1. La mort aux dents

L'évolution de l'alimentation des Français a été résumée à partir de Adrian (1978) (1), Dupin (1978) (2), Apfelbaum et Lepoutre (1978) (1), Malassis (1979) (2), Vigne (1978) (1).

L'évolution des habitudes de restauration se trouve dans Adrian (1978) (1), p. 143.

Le schéma n° 3, p. 19, est inspiré des données fournies par Apfelbaum et Lepoutre (1978), p. 267.

Les schémas n° 4, p. 20, est inspiré de Peeters (1977) (1), p. 306.

Les causes de mortalité figurent dans de nombreux ouvrages (Bour, Debry, Mayer, Vigne); elles ont été regroupées d'après Apfelbaum et Lepoutre (1978) (1).

Chapitre 2. *Une approche nouvelle*

Ce chapitre se fonde sur des concepts et des données analysés en détail dans Rosnay (1975) (1). Voir aussi Dixon (1978) (1).

Chapitre 3. *Les éléments de base d'une vie équilibrée*

Les six dimensions de la personne ont été discutées dans Rosnay (1975) (1), p. 258-259. Voir aussi : Elrick, Crakes, Clarke (1978) (1), p. 243.

Les conseils simples permettant d'accroître l'espérance de vie résultent des travaux de Belloc et Breslow (1972) (3).

Les recommandations en vue d'une meilleure alimentation sont reprises à partir du rapport de la Commission McGovern (1977) (2) et des publications du Comité français d'éducation pour la santé 1978 et 1979 (1).

Le tableau 15, p. 40, est inspiré des recommandations du rapport McGovern (1977) (2).

Le tableau 16, p. 41, reprend certaines des données fournies par Elrick, Crakes et Clarke (1978) (1), p. 105.

Chapitre 4. *L'autogestion commence par soi-même*

Les catégories d'aliments sont décrites dans de nombreux ouvrages de nutritionnistes cités dans la bibliographie.

On peut consulter notamment : Adrian (1978) (1), Bour (1976) (2), Comité français d'éducation pour la santé (1978) (1), Dupin (1973) (1), Peeters (1977) (1), Trémolières (1973) (1).

Les données concernant les descriptions des aliments, leurs propriétés, leur utilisation, les quantités nécessaires se retrouvent dans la majorité des ouvrages de base de diététique.

Chapitre 5. *Pourquoi ces quelques efforts?*

La section sur les fibres alimentaires s'appuie sur les travaux de : Burkitt (1975) (1976) (3), Symposium NIH (1977) (3), Reuben (1979) (1), Spiller (1976) (2), Van Soest (1978) (3), Weill (1978) (3).

Les figures n° 35, p. 79, et n° 37, p. 81, sont inspirées de Burkitt (1979) (3).

La section sur la complémentation des végétaux et la figure n° 39, p. 84, s'appuient sur des éléments fournis par Moore Lape (1976) (1), p. 153.

La section sur le sucre utilise des données de Dupin (1978) (2), Apfelbaum et Lepoutre (1978) (1). Voir aussi Heaton (1979) (3).

Le tableau de la comparaison du sucre, du miel et de la mélasse se trouve dans Moore Lappe (1976) (1), p. 379.

L'impact de la consommation de viande sur l'énergie et l'environnement est analysé dans Hannon (1977) (3), Moore-Lappe (1976) (1), p. 7 à 55, Brown (1975) (3), Pimentel (1975) (3), Nisbet (1977) (2), Malassis (1979) (2).

Chapitre 6. Comment passer à la pratique dans la vie de tous les jours?

La règle du 421 est inspirée de Creff (1979) (1).
Le « pinch-test » a été proposé par Elrick, Crakes et Clarke (1978) (1), p. 11.

Chapitre 7. L'exercice du corps et de l'esprit

Des conseils plus détaillés sur le footing et le jogging peuvent être trouvés dans Glover (1978) (1), Fixx (1978) (1), Escande (1979) (1).

Chapitre 8. Comment agir à l'échelle nationale et internationale en matière de nutrition?

Les données concernant le rôle de la publicité proviennent de Winikoff (1978) (1).
Les recettes du guide de l'anti-bouffe sont inspirées de Moore Lappe (1) (1976) et de Reuben (1979) (1).

Bibliographie

LIVRES ET ARTICLES GRAND PUBLIC

« Acheter, cuisiner, manger mieux », *Que Choisir?*, numéro spécial, 1979.

Adrian, J., *Clefs pour la diététique*, Paris, Seghers, 1978.

Apfelbaum, M. et Lepoutre, R., *Les Mangeurs inégaux*, Paris, Stock, 1978.

Comité français d'éducation pour la santé - Campagne nationale d'information sur la nutrition, dossier n° 8, 1978. (Articles de nombreux diététiciens dont Debry, etc.)

Creff, A., *Gastronomie de la diététique*, Paris, Laffont, 1979.

Dixon, B., *Beyond the magic Bullet*, Londres, George Allen & Unwin, 1978.

Dupin, H., *Les Aliments*, Paris, coll. « Que sais-je? », PUF, 1973.

Elrick, H., Crakes, J. et Clarke, S., *Living longer and better, Guide to optimal Health*, World Publications, 1978.

Escande, J.-P., *Le Jogging en dix leçons*, Paris, Hachette, 1979.

Fixx, J.-F., *Jogging : courir à son rythme pour vivre mieux*, Paris, Robert Laffont, 1978.

Fondation française pour la nutrition : *Les Français et leur alimentation*, 1978.

Glover, B. et Shepherd, J., *The Runner's Handbook*, Londres, Penguin Books, 1978.

Koechlin-Schwartz, D. et Grapas, M., *Guide de l'anti-consommateur*, Paris, Livre de Poche pratique, 1977.

Leonard, J.N., Hofer, J.L. et Pritikin, N., *Live longer now*, New York, Grosset and Dunlap, 1974.

« Mangez juste », *La Santé de l'homme*, n° 216, juillet-août 1978.

Mayer, J. *Health and the Pattern of Life*, New York, D. Van Nostrand, 1974.

Moore Lappe, F. *Diet for a small Planet*, New York, Ballantine books, 1976.

Nader, R., *Le Festin empoisonné*, Paris, 1972.

Peeters, E.G., *Le Guide de la diététique*, Paris, Marabout, 1977.

Reuben, D. et B., *Le Régime alimentaire sauveur*, Paris, Buchet-Chastel, 1979.

Rosnay, J. de, *Le Macroscope*, Paris, Éd. du Seuil, 1975.

Stanway, A., *Mangez le brut pour bien manger*, Paris, Tchou, 1977.

Suzineau, R., *Clefs pour le végétarisme*, Paris, Seghers, 1976.

Trémolières, J., *Partager le pain*, Paris, Robert Laffont, 1975.

Trémolières, J., collaboration au *Grand Livre de la nutrition et de la diététique*, Paris, R. Laffont, 1973.

Vigne, J., *Les Français mangent-ils trop?* Comité de vigilance pour la protection de la santé (UNAM, 18, avenue de la Marne, 92600 Asnières), 1978.

Winikoff, B., « Changing public Diet », *Human Nature*, janvier 1978, p. 60.

LIVRES ET ARTICLES SPÉCIALISÉS

Apfelbaum, M., *Régulation de l'équilibre énergétique chez l'homme*, Paris, Masson, 1974.

Bour, H. et Derot, M., *Guide pratique de la diététique*, 2ᵉ éd., Paris, J.-B. Baillière, 1976.

Committee on Nutrition and human Needs of the US Senate, *Dietary Goals for the United States*, Washington, D.C., USA, government Printing Office, 1977 (Commission McGovern).

Duel, H.J., *The Lipids, vol. 2. Biochemistry*, – Interscience publishers, 1962.

Dupin, H., *L'Alimentation des Français*, Paris, ESF, 1978.

Guyton, A.C., *Physiologie de l'homme*, traduit par J. Gontier, Paris, Maloine, 1974.

Jequier, E., *Régulation du bilan d'énergie chez l'homme*, Paris, Masson, 1974.

Lubetski, J., Duprey, J. et Warnet, A., *Maladies métaboliques et de la nutrition*, Paris, Baillière, 1978.

Malassis, L., *Économie agro-alimentaire*, t. 1, Paris, Cujas, 1979.

Morelle, J., *Chimie et Biochimie des lipides*, Paris, Éditions Varia, 1964.

Nisbet, I.C.T., « You are what you eat », *Technology Review*, juin 1977, p. 5.

Office and technology assessments, food advisory committee, *Nutrition Research Alternatives*, Washington D.C., 1978.

Sanders, M.J., *Nutrition and Health*, Chemical and Engineering News, 26 mars 1975, p. 27.

Guide français de la diététique, 2ᵉ éd., Syndicat national professionnel des diététiciens, 95, rue de La Loubière, 13005 Marseille.

Burkitt, D.P. et Trowell, H.C. (ed.), *Refined Carbohydrate, Foods and Disease,* London Academic Press, 1975.

Spiller, G.A. et Amen, R.J. (ed.), *Fiber in human Nutrition,* New York, Plenum Press, 1976.

Tchobrousky, Guy Grand, *Nutrition, Métabolisme et Diététique,* 2ᵉ éd., coll. Pathologie médicale, Paris, Flammarion Médecine.

Thiers, H., *Les Vitamines,* Paris, Masson, 1968.

Trémolières, J., Serville, Y. et Jacquot, R., *Manuel élémentaire d'alimentation humaine* (*I : Les Bases;* II : *Les Aliments;* III : *La Pratique de l'alimentation*), 1962, Paris, Éditions sociales françaises, t. 1, 2 vol., 8ᵉ éd., 1977, t. 2, 1 vol., 7ᵉ éd., 1977.

ARTICLES DANS DES REVUES SPÉCIALISÉES

Bellock, N.B. et Breslow, L., « The relation of physical health status and health practices », *Preventive Medecine,* vol., 1972, p. 409.

Bour, H., « Où va notre alimentation? », *Concours médical,* 1972, 94, 47, 7947, 7955.

Brown, L., « The world food prospect », *Science,* vol. 190, 12 déc. 1975, p. 1053.

Burkitt, D.P., « The role of dietary fiber », *Nutrition today,* 1976, 11, 6 à 13.

Debry, G., « Nutrition de santé publique : illusions ou réalités », *Cah. Nut. Diét.,* 1974, 9, 1, 15-26.

Debry, G., « Comportements alimentaires et maladies cardio-vasculaires », Colloque sur le comportement alimentaire humain, *Ann. Nut. Alim.,* 1976, 30, 2 et 3, 219-233.

Hannon, B., *Science,* 26 août 1977, p. 821.

Heaton, K.W., « Fibres alimentaires, affections intestinales et retombées métaboliques », *Tempo médical,* 34, 1979, p. 127-136.

Kannel, W.B., McGee, D. et Gordon, T., « A general cardio-vascular risk profile : the Framingham study », *Amer. J.-Cardiology,* 1976, 38, 46-51.

Kolata Bari, G., « Mental disorders : a new approach to treatment », *Science,* vol. 203, 5 janvier 1979, p. 36.

Pimentel, D. et coll., « Energy and land constraints in food proteins production », *Science,* vol. 190, 21 novembre 1975, p. 754.

Rawls R.L., « Diet can influence functioning of the brain », *Chemical and Engineering News,* 23 nov. 1978, p. 27.

Role of dietary fiber in health, Symposium, mai 1977 NIH, *Journal Nutrition* 31 n° 10, octobre 1978.

Sommaire, P.A. et Bourrinet, « Le sel, facteur de risque dans l'hypertension artérielle. L'alimentation et la vie », *Bull. Soc. Scient. Hyg. Alim.* 1974, 62, 4, 236, 262.

Trowell, H.C., « Definition of dietary fiber and hypothesis that it is a protective factor in certain diseases », *Amer. J. Clin. Nut.*, 1976, 29 p. 417-427

Van Soest, P., « Dietary fibers : their definition and nutritional properties », *The Amer. J. of Clinical Nutrition*, vol. 31, n° 10, octobre 1978, p. S. 12.

Weill, J.-P. et Baumann, R., « Les fibres alimentaires : mythe ou réalité? », *Cah. Nutr. Diét.* 1978, XIII, 1, 47.

Wurtmann, R. et Fernstrom, I., *Science*, 2 avril 1976, p. 41.

Wurtmann, R., « Neuromédiateurs et régime alimentaire », *Tempo Medical*, n° 37, juin 1979, p. 59.

Glossaire des mots difficiles

Acides aminés : petites molécules composant les protéines.

Acides aminés essentiels : les huit acides aminés que notre corps ne sait pas fabriquer. Il doit les trouver dans l'alimentation. Ce sont : l'isoleucine, la leucine, la lysine, la méthionine, la phénylalanine, la thréonine, le tryptophane et la valine.

Acides gras : constituant principaux des lipides (matières grasses).

Amidon : molécule géante formée de petites molécules de sucre attachées les unes aux autres.

Approche systémique : nouvelle méthodologie permettant d'organiser les connaissances en vue d'une plus grande efficacité de l'action.

Artériosclérose : vieillissement des artères.

Athérosclérose : lésion des vaisseaux par suite, notamment, de dépôts de matières graisseuses et de cholestérol sur la paroi des artères.

Autonorme : définition personnelle de sa propre personnalité.

Bionomie : règle de conduite de la vie.

Calories « vides », calories « bancales » : apport énergétique seul, sans apport de protéines, vitamines ou sels minéraux.

Cholestérol : substance naturelle constituant notamment les membranes des cellules. Peut s'accumuler dans le sang par suite d'un régime alimentaire trop riche en graisses et causer des troubles cardio-vasculaires.

Cocancérigène : substance renforçant l'action des agents cancérigènes.

Complémentation : renforcement de la qualité nutritionnelle de certaines protéines végétales par leur association.

Enzyme : protéine accélérant et contrôlant les réactions chimiques de la vie.

Épidémiologie : étude de la nature, des causes et des circonstances favorisant une maladie ou un fait social.

FAO : organisation internationale se consacrant principalement aux problèmes de l'alimentation dans le monde.

Fibres alimentaires : composants des végétaux non digérés par l'intestin et passant inchangés dans le gros intestin. Jouent un rôle important dans le fonctionnement du système digestif.

Glucides : sucres simples et sucres complexes.

Glycogène : réserves de sucres du foie.

Graisses saturées, graisses insaturées, graisses poly-insaturées : les graisses sont formées de molécules contenant des groupements renfermant certaines liaisons chimiques. Selon la teneur en liaisons simples ou doubles, on les dit saturées, insaturées ou poly-insaturées.

Hémicellulose : constituant des végétaux.

Hydrates de carbone : autre nom des glucides, sucres simples et complexes.

Hypoglycémie : taux de glucose dans le sang inférieur à la normale.

Insuline : hormone naturelle jouant un rôle essentiel dans l'assimilation et le stockage des sucres.

Jogging : course à pied lente, à son rythme propre.

Junk food : nourriture industrielle sans qualité nutritionnelle.

Lignine : constituant des fibres du bois que l'on retrouve dans la plupart des végétaux.

Lipides : matières grasses, constituants majeurs des huiles, des graisses et du beurre.

Macrobiotique : forme d'alimentation se fondant principalement sur les céréales. Pas de viande, mais poisson, le lait, produits laitiers.

Nutriment : constituant élémentaire des aliments. Substance nutritive pouvant être directement assimilée.

Nutritique : nouvelle discipline se consacrant à la nutrition, à l'alimentation et à la diététique sous toutes leurs formes.

OMS : Organisation mondiale de la santé.

Orthonomie : nouvelle gastronomie – plaisir de manger ce que l'on sait être « bon » pour soi.

Photosynthèse : réaction chimique se réalisant dans les feuilles sous l'effet de la lumière et transformant, grâce à la chlorophylle, le gaz carbonique et l'eau en sucres (cellulose, par exemple).

Pinch-test : test simple permettant de mesurer le pli cutané et l'accumulation de graisses excédentaires.

Polysaccharides : sucres à longue chaîne.

Protéines : constituants essentiels des cellules. Formées d'acides aminés.

Protides : autre nom des protéines.

Snack food : nourriture rapide d'origine industrielle, sans grande qualité nutritionnelle.

Synergie : résultat de la combinaison de plusieurs facteurs se renforçant les uns les autres : « Le tout est plus que la somme de ses parties. »

Végétalien : aucun aliment d'origine animale.

Végétarien : ni viande, ni poisson. Mais œufs et produits laitiers. La base de l'alimentation est constituée par des légumes et des fruits.

Vitamines : molécules essentielles à la vie des cellules. Sont actives à très faible quantité.

Index

175

Table

IMP. FIRMIN-DIDOT
D.L. 4ᵉ TR. 1981 – Nᵒ 5974

Collection Points

SÉRIE ACTUELS

Collection Points

SÉRIE SCIENCES

dirigée par Jean-Marc Lévy-Leblond

Collection Points

SÉRIE ÉCONOMIE

SÉRIE PRATIQUE

Collection Points